“经营之圣”稻盛和夫《活法》书系之三

活法 叁

人生的王道

人生の王道

[日] 稻盛和夫（Kazuo Inamori）著
蔡越先 译　曹岫云 审校

人民东方出版传媒
People's Oriental Publishing & Media
東方出版社
The Oriental Press

图书在版编目（CIP）数据

活法. 叁, 人生的王道：小开本 / (日) 稻盛和夫 著；蔡越先 译. — 北京：东方出版社，2019.2
ISBN 978-7-5207-0634-6

Ⅰ. ①活…　Ⅱ. ①稻…②蔡…　Ⅲ. ①人生哲学—通俗读物　Ⅳ. ①B821-49

中国版本图书馆CIP数据核字（2018）第243398号

活法叁：人生的王道（小开本）
（HUOFA SAN: RENSHENG DE WANGDAO）

作　　者：［日］稻盛和夫
译　　者：蔡越先
审　　校：曹岫云
责任编辑：贺　方
出　　版：东方出版社
发　　行：人民东方出版传媒有限公司
地　　址：北京市东城区东四十条113号
邮　　编：100007
印　　刷：鸿博昊天科技有限公司
版　　次：2019年2月第1版
印　　次：2019年2月第1次印刷
印　　数：1—10 000册
开　　本：787毫米 × 1092毫米 1/32
印　　张：8.5
字　　数：120千字
书　　号：ISBN 978-7-5207-0634-6
定　　价：48.00元
发行电话：（010）85924663　85924644　85924641

本书在2005年10月至12月《日经经济志》连载的13回基础上全面修改定稿而成。另：本书所节录之《南洲翁遗训》原文与译文以财团法人西乡南洲显彰会（鹿儿岛市）2001年出版发行的《南洲翁殁一百二十五周年纪念版西乡南洲翁遗训》（山田尚二编辑）一册为底本，内有部分改动。

推荐序
无私——西乡和稻盛共有的精神境界

东方出版社委托我审核本书的翻译稿。一边重读原文，一边要斟酌译文的每一句话，这对我来说是一种很好的学习。看稻盛和夫如何描述西乡隆盛，审译过程中时时引发我的感动和感悟。趁出版社希望我写导读之际，我把重读此文时的感想记录如下。

西乡隆盛是日本明治维新的元勋，是一位充满传奇色彩的人物，他又是稻盛和夫（出身地鹿儿岛）的同乡前辈。稻盛从小就敬仰他，爱戴他，把他看作心目中的大英雄。稻盛创立京瓷不久，就把西乡的格言“敬天爱人”奉作社训，挂在办公室里。你若请稻盛题字，他多半就写下“敬天爱人”这四个字。我 2005 年去日本横滨参加盛和塾第 13 届全国大会，面对 1891 名企业家塾生，稻盛演讲的中心就是“西乡南洲翁遗训”。而在本书中，稻盛更是详尽地解读了西乡人生和西乡遗训中宝贵的思想。

西乡身处日本明治维新这一历史大变革的激流之中，他的人生波澜万丈，他的故事跌宕起伏。维新革命发动之前，因为不忍眼见同志孤身遇害，他竟毅然与这位同志携手投江自尽。他率领的新政府官兵战胜封建割据的庄内藩，当敌军投降时，因为体恤对方的尊严，他竟命令胜者卸械，允许败者佩刀，创造出旷世未闻的入城奇观。维新运动大功初成，看到一起革命的同志开始建豪宅、穿华服、纳美妾，他痛心疾首。他的热血弟子不满新政府的腐败，贸然起义。他明知此事不可为，明知起义毫无胜算，但当他得知事态的发展已势不可当时，他甘领“逆贼之首”的罪名，不惜与充满正义感但缺乏谋略的弟子们同归于尽。

西乡的人生信条，最突出的就是“无私”二字。本书第一章标题即为“无私”。西乡遗训第一条就讲“无私”。稻盛说西乡遗训从头到尾、字里行间透出的精神，无非就是“无私”。

因为“无私”，所以关键时刻他勇于担当责任。当维新志士们围绕维新大政争论不休时，西乡一言九鼎：“讨论完毕。虽有异议，但若不断然实行此项改革则日本毫无未来可言。其后倘有意外，全部责任皆由本人承担。”全场为其勇气和魄力所慑服。几天后改革旧体制的“废藩置县”的天皇敕令正式颁布。当时的形势是，西方列强虎视眈眈，如果维新失败，日本将陷入混乱，这样日本就很可能像中国、印度和东南亚其他各国一样，遭受西方列强的侵略，甚至沦落为欧美的殖民地。

因为“无私”，西乡不恋栈权力。他一贯主张只要发现并认定德才超过自己的贤人，就应该立即将自己的职位相让。而当西乡的“遣韩论”提议一遭否决，不管自己“江户无血开城，断行废藩置县”以及以往的战功如何显赫，他即刻洁身引退，辞官归乡办学。地位、名声、俸禄一概置之度外。

因为“无私”，他不但一生清廉俭朴，憎恶腐败，而且誓言“不为儿孙买美田”。

因为“无私”，西乡贯彻正道，终身不渝。不管逆境还是顺境，不管失败还是成功，甚至淡看个人的生死，唯把贯彻正道视作人生最大的快乐和幸福，并认为若不达到此种境界，心志就必然动摇，就不可能将正道贯彻始终。

西乡的一位友人将西乡比作一座“悬钟”：“轻敲则小响，重敲则大响。说他愚，他是大愚；说他智，他乃大智也。”

“无私”在许多精明人眼里是愚、大愚、愚不可及。但正是“无私”才成就了无数英雄的丰功伟业。“无私”就是人类最大的智慧。人类的大智慧绝不是什么三十六计、七十二变或别的什么名堂。

稻盛在接触西乡遗训之前，已经成功创建了京瓷公司，而且在经营实践中他已经感悟到，一个组织只有将领导者的意志、观念灌注进去，它才有生命，才会生机勃勃。当领导者只考虑私事时，组织的机能将会停滞，组织的生命将会萎缩。但是如果全身心扑在事业上，扑在京瓷的经营上，自己的人生不是太单调、太枯燥了吗？而且当时京瓷发展迅速，利润已经非常可观，而稻盛的工资却比一般干部高不了多少，他内心也有不平衡："是我的技术为企业创业打下了基础；是我夜以继日忘我工作，促进了企业的发展；是我的才能给公司带来了成功，我获取与贡献相对应的报酬，难道有什么不对吗？"正当他矛盾烦恼时，读到西乡遗训，犹如醍醐灌顶、当头棒喝，并由此更坚定了他的"无私"经营的信念。

当京瓷公司股票上市时，他一反常规，放弃了让自己财富大幅增值的机会，选择发行新股，收益全部归公司所有。他公开宣布放弃"世袭制"，并不让任何亲属进入企业经营高层。至于后来他设立"京都赏"，创办"盛和塾"，更是实践"无私"理念的典范。

稻盛常说"螃蟹只会比照自己壳的大小挖洞"，就是说企业家只有不断向"无私"的境界迈进，"心底无私天地宽"，才能把企业做大、做强、做长久。从这个意义上讲，稻盛创建的两家世界500强企业就是"无私"的产物。特别是稻盛在创建"日本第二电电"时，目的只有一个，非常鲜明，就是"降低国民的通信费用"，口号只有八个字，就是“动机至善，私心了无”。而正是这种高度的“无私”，才成就了他在完全陌生的领域很快获得了不可思议的巨大成功。

领导者成大业，秘诀在哪里？西乡一语道破：“置自己的生命、名誉、地位、财产于不顾的人物，最难对付。然而，领导者不达到这种无私的境界，最终难成大业。”

稻盛把“无私”看作大大小小一切组织的领导者的首要条件。上自国家，下至企业，任何组织，哪怕是一个非营利性的小小的学术机构，领导者是否“无私”，往往决定了组织的死活、企业的盛衰乃至国家的兴亡。他认为这是超越时代、超越国界、超越组织规模的普遍的真理。

回顾历史，再看看这个世界，看看我们周围的现实，我们就会明白西乡、稻盛，他们说得多么有道理啊！不仅是企业，而且人类几乎所有的危机，包括眼前这场空前的金融危机，无不是人的私心，特别是各种组织的领导者私心膨胀带来的结果。

西乡隆盛是一位人格高尚的政治家、思想家，他具备无私博爱的宽大胸怀，因而能够吸引包括敌方在内的许多崇拜者，成就了明治维新这样的伟业。但他又是一位悲剧英雄，他有时过分地为“情义”所困，他身上缺乏另一位鹿儿岛出身的维新元勋大久保利通冷静务实、讲求规则、善于具体操作的特长，因而在组建新国家这项庞大而复杂的工程中难有作为。稻盛和夫是成功的典范，他与西乡隆盛所处时代环境不同、投身的事业不同，但是稻盛身上兼备了西乡火一般的“情义”和大久保冰一般的“理性”，即兼备了西乡的理想主义和大久保的现实主义两种素质，将这两者完美结合并发挥到了极致。因而稻盛的事业可谓一帆风顺,50年来几乎没有失败。他不但赤手空拳创建了京瓷、KDDI两家世界500强企业，而且创立了表述企业经营和人生真理的“稻盛哲学”。我相信“稻盛哲学”对社会的影响，不久将不亚于他创立的企业对社会的贡献。

最后，在本书中大家可以看到，无论西乡还是稻盛，他们的思想乃至文字表述方式，受中国古代典籍的影响都非常之深。从个人修身养性到治国安民，他们竭力吸收中国古代文化的精华并注重实践。西乡之所以成为明治维新的功臣，稻盛之所以成为大企业家并在经营理论和人生哲学方面有重大建树，都与他们善于学习、勤于思考、勇于实践，包括学习、思考、实践中国文化的经典息息相关。我想，这一点特别值得我们中国人认真想一想。

盛和企业经营哲学研究会会长
东方出版社稻盛和夫《活法》书系总顾问
曹岫云

目 录
contents

序 章

为了提升人的品格

昔日，日本社会中随处可遇见品格高尚之人。

即使经济上不富裕，却品行高尚，决不欺下媚上、独断专行，常与人为善。那时，具备这样美德的日本人比比皆是。

由这些人们组成的集团，自然也具备高尚品格。

例如，在生产现场存在着这样一群人。他们以自己制造出的产品能为客户喜爱为荣，即便不强制进行品质管理，也会全神贯注、精益求精，以保证产品的品质与外观都无可挑剔。他们能生产出至善至美的高品质产品。

在出售商品的店铺里也同样如此。即便初出茅庐的店员也会为满足顾客所需尽心尽力。这样高质量的服务绝非缘自上司的命令抑或服务指南的规定，自然更不是为卖而卖。这种行为实际是对他人体贴入微的“热心肠”的自然流露。

日本的企业正因为有这些品格高尚的人支撑，才实现了今日日本经济的发展。

然而，近些年，环顾世间，闻所未闻之恶劣事件层出不穷。例如，食品虚假标签事件、隐瞒质量投诉案，做假账、内幕交易，诸如此类。丑闻频传，从根本上否定了企业的社会道德责任。

政府机构也同样如此。身为公仆本应为民奉献，然而从虚假投标到收受贿赂，这类无耻事件却屡见不鲜。家庭中“弑父弑母案”“弑子案”这些与人类尊严背道而驰的悲惨案件也接连发生。

每当翻阅报纸，屡次三番读到这类报道，不免黯然神伤：“这个国家究竟要走向何方呢？”持这种想法的应该不止我一人吧。

依我之见，这些社会现象皆可归因于日本人品格的下降。

第二次世界大战后的60年间，日本人毅然从废墟中奋起，实现了奇迹般的经济发展。物质生活是越来越富裕，但精神世界却急剧地趋向荒芜。

心灵的不断荒芜，正是日本人品格日趋恶化的体现。并且，这也是导致现代日本社会混乱迷茫的真正原因。

追溯古今东西的历史，国家总是兴衰更替。国民奋发图强，则国家发展进步；其后若国民滋生自满、自大之心，则国家日渐衰落。如此循环往复，国家的兴衰与国民心态是一致的。

现在，每个日本人都应该开始思考这个问题：如何丰富精神世界。换言之，如何唤回我们往昔美好而高尚的心灵。不论年龄，若全体日本人都能重新提升自身品格、品性，那日本定能成为高品格国民之国，受到世界的赞赏，也能再次挺起胸膛。我认为，这才是真正的日本之再生。

每思考至此，我便想起昔日一位品格高尚的日本人，他的心灵异常高洁、充满慈爱。

他就是西乡隆盛。

正是西乡的生活方式、思维方式，让人回想起日本人原本“美好”与“高尚”的特质。每当有人问我“谁是你认为值得尊敬的理想人物”时，立刻浮现于脑海之中的，便是西乡。

在激流涌动的幕末时期，为构建现代国家，多少志士仁人胸怀大志，激荡热情，挥洒热血。然而，如此铸就的新政府，却不知从何时起，已经与西乡的期待背道而驰了。

曾经的志同道合者，作为明治维新的功臣在政府中就任要职，却开始居功自傲，或追求高官厚禄，或只知明哲保身。他们果断参与明治维新，初衷并非为了享受个人的荣华富贵。时任参议员首领要职的西乡，趁遣韩使节提议被否决之机立即辞官归乡，返回鹿儿岛，创办私立学校，将满腔热情倾注于青少年的教育。

私立学校的学生们，跟随西乡不断学习。他们越深入了解世界局势与日本的实情，便越清楚地意识到：“竟然不采用伟大的西乡老师的建议，新政府真是岂有此理！”

于是，他们举起了反政府的鲜明旗帜。不久，以该私立学校的学生为主力的不平士族起事，袭击了鹿儿岛的军工厂，夺取枪支弹药，击败熊本的守军后直驱北上。

此时，西乡正在大隅半岛的深山里牵狗狩猎。听说学生们起事的消息后慨然长叹：“不好了！出大事了！”然而，他知道事态已无法阻止。“事已至此，别无他法，仅以己之躯相助吧。”虽明知会失败，但出于对学生的同情，西乡与学生们一起投入战斗。

1877 年 9 月 24 日，长达 7 个月之久的战争结束，西乡战死于鹿儿岛的城山。

享年 49 岁。

向新政府挥刃的西乡一时被明治政府当作叛军的首领。然而，明治维新中，江户城无血开城，废藩置县的断然实行，都是西乡立下的汗马功劳。这些不容磨灭的功绩，在西乡死后逐渐为人们所赞赏。终于，1889 年，随大日本帝国宪法颁布而进行的大赦中，西乡恢复了应有的名誉。

西乡留下的真知灼见，经由庄内藩的有识之士之手，整理成《南洲翁遗训》，并于大赦翌年出版。

戊辰战争中追随幕府的庄内藩怎么会整理与他们敌对的西乡的遗训？不少人对此抱有疑虑。但是，由庄内藩的人们编选、出版“遗训集”，这件事凸现了西乡的品格之高。

庄内藩与新政府军交战后全面败降。通常这种状况下战败方都会被收缴军械。然而，西乡却反其道而行，没收己方兵器，不携一刀一剑进入庄内藩。其目的是防范粗暴的武士可能出现的野蛮行径，但更多的则是对战败者的体恤与敬意。获胜者自动卸下兵器，却允许败者携刀，此举让庄内藩的人们都惊讶万分。

其后，西乡下野归乡。庄内藩的年轻武士们仰慕西乡的大度气量与高尚人格，前往鹿儿岛向他求教，其中包括庄内藩主酒井忠笃。这批庄内藩的武士中，有人突破阻挠，追随西乡从军西南之役，最后战死沙场。

受到西乡精神熏陶的庄内藩的人们，将学到的西乡的训诫编纂成册，留于后世，这就是《南洲翁遗训》。

作为人间正道的普遍性真理

当下，为何向西乡的思想寻求答案？

明治政府中，西乡的卓越功绩之一是断然推行废藩置县政策。戊辰之战中，德川幕府垮台，经过王政复古、版籍奉还等一系列举措，日本踏上以天皇为中心的君主立宪制国家之路。然而，掌握军事与征税权力的藩阀力量依然强大，日本社会并未彻底脱离幕藩的封建体制。

与此同时，以萨摩、长州两藩为中心的明治新政府也引起其他诸藩根深蒂固的反感。而曾经的武士丧失了往日的特权与职位，他们之中也有人蠢蠢欲动。这种状况下，倘若贸然行事，或许会再次挑起内战，从而招致欧美列强的介入。

某日，大久保利通、山县有朋等齐集木户孝允家商议。然而各方意见始终相持不下，讨论停滞不前。这时，一直沉默不语的西乡终于开口了：

“讨论完毕。虽有异议，但若不断然实行此项改革则日本毫无未来可言。其后倘有意外，全部责任皆由本人承担。”

此言既出，举座皆为其破釜沉舟的勇气与觉悟所动容。数日后，清除旧体制、实行废藩置县的敕令颁布。

西乡本也是武士出身，曾经的萨摩藩主岛津齐彬对他恩深义重。同时，他也极为尊崇身为武士的自豪感。而将武士的栖身之所藩国这一社会形式、武士食俸禄这一社会体制亲手毁灭，将曾经的主君和同僚的生活彻底改变，西乡的心中做何感想？大约也曾有过踌躇与犹豫吧。

那么，是什么激励了西乡呢？

那就是，必须将日本这个国家引向正途之“**大义**”，以及基于“**大义**”的“**信念**”。这份信念激发了西乡的勇气。

这样的西乡在《南洲翁遗训》一书中，留下了真知灼见。

我在本书中提及的西乡的生活方式、思维方式，绝非只适用于幕末或明治初期的陈腐训言，在心灵日趋荒芜的现代社会，西乡的教诲更是熠熠生辉。

超凡脱俗的大度气量，出淤泥而不染，至公无私，西乡的人格魅力超越了时代，鲜明地指示着我们做人之本分。

我至今仍将《南洲翁遗训》置于案头，时时翻阅。每每能从中汲取生活道路上的珍贵启示。年纪愈长，经历愈多，从此书获取的教诲愈加铭刻于心。

这是因为，西乡直面人生之痛苦与烦恼，从不逃避，在此过程中孕育出了作为人间正道的普遍性真理。

我们日本人如今正需谨记西乡的生活方式、哲学、行为，由此开辟一个崭新的时代。

幕末的风云人物坂本龙马初次与西乡相逢后，对胜海舟讲述过他的印象："西乡这人，真是让人捉摸不透的家伙。拿悬钟打比方吧，轻敲则小响，重敲则大响。

说他愚，他是大愚；说他智，他乃大智也。”

我认为，此言亦可适用于《南洲翁遗训》。

翻阅此书，定会被西乡的珠玉之言深深触动。笔者只企盼，受其影响而迈入不同凡响之“人生的王道”的读者，更多一人。

第一章　无　私

即使牺牲自我也要将精力集中于企业，这才是领导者的本分

任用人才的关键在于相信人的成长

越成功，越伟大，就越应谦恭行事

领导者应舍私利、断私欲、行正道

我邂逅西乡的遗训是京瓷创办约十几年后的事情。

公司急速成长，股票也顺利上市。然而，我内心却仍惶惶不安，总是担忧，若经营判断出现重大失误，不知何时企业或许就会沦落至濒临破产的境地。一旦破产，员工和他们的家人就会流落街头。而且，公司上市后又新增了对股东们的责任。这些与公司休戚与共的人们，决不能让他们受到牵累，基于这样的信念，我夜以继日，拼命工作。

某日，一位年长的先生来访。询问后得知，他是山形县地方银行原行长，退居顾问后管理着传承西乡精神的“庄内南洲会”。这位先生特意前来将《南洲翁遗训》相送于我。

那正是因公司的经营管理而奔波劳累、烦恼丛生的时期。翻开从小敬爱的西乡的遗训集，书的内容便如磁石般紧紧吸引住我，我立即从第一则开始读起来。

【遗训第一则】

立庙堂为大政，乃行天道，不可些许挟私。秉公平，踏正道，广选贤人，举能者执政柄，即天意也。是故，确乎贤能者，即让己职。于国有勋然不堪任者而赏其官职，乃不善之最也。适者授官，功者赏禄，方惜才也。然，《尚书·仲虺之诰》有云："德懋懋官，功懋懋赏"，德官相适，功赏相应，即此意乎？闻此言，翁欣然应之。

【释义】

在政府中执国家之政是行天地自然之道。行事不应挟半点私心。所以不论何事都该秉持公平，依循正道，广举贤明之人，让能忠实履行职务者执掌政权，方为天意，换言之，就是遵循神灵的旨意。所以，若有真正贤明且适任之人，应该立即将自己的职位相让。

由此而言，不论于国家有何等功勋，若将官职授予不胜任者以表彰其功绩，此为最大的不善。翁道："应慎重选择适任之人授其官职，有功绩之人则赏其俸禄，乃惜才之举也。"那么，《尚书·仲虺之诰》(《尚书》，中国最早的古典文献，亦称《书经》；仲虺是商汤王的贤相；诰是任命官员的文书）中有言"德高者升官位，功多者厚褒赏"，这句话的意思是否指德行与官位相适配，功绩与褒赏相对应，听到有人这么问，翁大喜，回答道："正如此言。"

这是《南洲翁遗训》开篇第一则。对于身为组织之长的领导者而言，应该将此视为自己行动的指针。

西乡虽然言及政治，但大中小型企业的经营者，甚至不论多么微不足道的机构的领导者，凡位于人上者均应有此觉悟。

西乡彻底否定了利己思想，认为领导者决不可挟半点私心。读到此处，只觉当头棒喝。因为到那时为止，我还未能完全抛却私心。

如前所述，当时已实现了京瓷公司的上市，企业仍在不断顺利发展壮大。然而作为经营者，我与创业时并无分别，仍是个只知努力工作的“拼命三郎”，完全没有属于个人的时间，昼夜不分，废寝忘食。当时我开始有了如下的思考。

所谓组织，原本并非活物，只有把经营者的意志、观念注入其中，才宛如活物般生气勃勃起来——向组织中注入生命正是位于领导地位的社长的本分。那么，作为社长的自己在思考京瓷时，京瓷这一组织便具有了生命。而当自己的思维回到个人，考虑自己的事情时，京瓷这一组织就难以发挥它的机能了。

若果真如此，那作为经营者岂不是必须每天 24 小时一刻不停地专注于公司事务，完全将个人置之度外吗？这就是我的人生吗？当时年龄正奔往不惑之年的我矛盾烦恼，翻来覆去自问自答。

如果没有属于自己的充足时间，那好歹来世间一遭，如何能享受到完美的人生？然而，身为社长，担负着诸多公司员工的人生憧憬，因而必须尽量消除作为个人的自我，必须以社长这一公众人物的意识，用更多的时间来投入工作。

一番深思苦索之后，我开始认识到，即使牺牲自我，也要将精力集中于公司，这才是领导者的本分。恰好此时，我读到了《南洲翁遗训》中的这一节。

“果不其然！”我如同获得了西乡的首肯，备受鼓舞。

作为领导者，基本上应摆脱个人的立场，不允许挟丝毫私心。当领导者的私心暴露时，组织机构就岌岌可危矣。

常念公司之事，愿意自我牺牲，若非如此，则不能成为领导者。理解了西乡的教诲，我对这一点更加深信不疑。之后疑虑全消，义无反顾，将自己整个人生投入于公司经营之中。

而有此番领悟后，我内心又发誓绝不将职位传于子孙，并向众人公开表明心意。

社会上的中小企业中多半职位世袭，也有人热心劝我这么做。然而，我心意已决，要依循西乡所言，秉公无私，依循正道，“决不将职位传于自己的血亲”，且“尽力不让有血缘关系的亲属进入公司的经营层”。

贯彻“无私”要达到这样的程度，貌似冷酷无情，然而，位于众多人之上的领导者，为了顺利统率一个集团，无论如何必须具备“无私”这一领导者的重要素质，并时刻明鉴，严格自律。

成功后骄傲自大——当今经营者之通病

现今年轻的经营者，他们开办风险企业，发挥才干，获得成功，并实现企业上市。之后便立即将自己所持股份悉数抛出，以获巨额财富。

例如，才刚三十岁出头，便已幸运地实现企业上市，从而数百亿日元的巨额资产收入囊中。然而，获如此巨大成功之人不久已风光不再。近些年，我们目睹了不少这样的实例。那是因为成功纵容了私心的滋长，点燃了没落的导火线。

1971 年，正值京瓷公司上市之际，我进行了此番思考。

创业以来，京瓷不断顺利发展壮大，于是几家证券公司来访，商议上市一事。据他们解释，公司上市有两种方式。

其一为将创业者所持股份在市场发售，另一种为发售新股。前者上市的红利归创业者个人，后者则归公司所有。

某证券公司的人士强烈推荐前一种方式，认为可回报创业辛劳。然而，这却与我的观点不合，所以我并未与这类证券公司合作，并且选择了第二种方式，发行新股，不曾卖出一份自己名下股份，而上市后所得的全部资金一概入企业账目。

此后，京瓷公司资金更加雄厚，经营基础更加稳固。同时，以此雄厚资金为基础，开始了新一轮投资，让事业得到了更大的发展。

另一方面，现今的经营者一旦实现上市，多数人会立即卖出自己所持股份，获得大量增值收益，这种做法似乎无可厚非。然而，其结果，经营者个人自然愈加富裕，企业财务却丝毫未见增强，更难以确保开创新业的投资资金，从而会错失上市后企业的第二次成长。

这类事情并非仅仅发生在企业界。那些声称为民众利益而勇闯国家考试难关的官僚们，汲汲于升官，发迹之后却只顾自己所属部门的利益，以至凡事都以保全自我为优先。而打着清正廉洁旗号的政治家们，几番竞选当选后，不知不觉也为争权夺利而腐化变质。甚至，本应潜心钻研的学者，研究出成果后也开始自以为是，变得俗不可耐。

越成功，越伟大，就越应谦恭行事。并且，应率先做出自我牺牲，以做表率。若无承担最大损失的勇气，如何能成为领导者？无自我牺牲勇气之人若居高位，是位于其下者之不幸。

遗憾的是，综观当下日本，持有“无私”精神的领导者实在屈指可数。这正是现代日本社会陷入混乱迷茫之一大重要因素。

现在，急需拥有杰出人格、出众品行之人，就是为社会、为世人尽力，即使付出自我牺牲也在所不惜的、“无私”的领导者。

这是超越时代、超越组织规模的普遍的真理。不论是西乡生活的明治维新时代还是我们当下的现代社会，甚而微如NPO（非营利组织）之类的小型机构，对领导者的要求也毫无二致——第一条件即为“无私”。

西乡一贯主张“无私”这一理念。排斥私心，对于领导者来说这是首要条件。这一点西乡在整本“遗训集”中都在谆谆阐述。把西乡的全部思想都归结于“无私”这一点，这么说也不为过。

任用人才的关键在于相信人的成长

遗训第一则中，西乡还论道："于国有勋然不堪任者而赏其官职，乃不善之最也。翁曰：'适者授官，功者赏禄，方惜才也。'"

明治维新这场革命的成功，是依靠长州藩和萨摩藩作为主力的，维新的功臣自然在新政府中就任要职。然而萨摩藩本就被揶揄有"一人得道，鸡犬升天"之风，家族中倘一人有所成，亲属血缘者便都随之平步青云。这一习气也被带入了新政府。

如此人事任用方式畅行无阻，定会有力不胜任者居于要位。这样公私不分的人事安排于国家有何益处？有何等脸面向维新革命中抛头颅洒热血的烈士交待？

“功者有禄，德者任官”，这正是维新革命先锋西乡的痛切悲叹与深切呼吁。

此言就是用人的真谛，同样适用于企业经营。

企业规模尚小时，未能集结合适人才。而随着公司规模的壮大，经营者也愈加求贤若渴。此时，便面临两种方案。

其一，厚待与自己一起创业、同甘共苦的元老们。

随着公司发展壮大，将他们提升为理事或副社长。此番做法在营业额约一亿日元规模的小公司或许还凑合，若公司营业额动辄成百上千亿，那就要求领导者有高度的经营能力。即便如此，仍将创业时与自己同甘共苦的功臣们委以重任，参与经营，这样的事例也不鲜见。

确实，过去他们曾付出辛劳，立下功绩，对公司之今日功不可没。然而，若想守住一千亿营业额规模的大企业，仅将重任托付能力稍嫌不足之人，公司必将后患无穷。

其二，随着公司发展壮大，从外部寻求优秀人才。

随着公司的发展，逐渐意识到部下能力的不足之处，虽然曾与自己一起辛劳打拼，但若他们已不能再有更杰出的表现，则需要接连不断地从外部引入新的人才。

例如，录用在美国取得MBA（工商管理硕士）学位并具备高度经营技能的人才，委以重任，为企业的发展献计献策。

然而，此举往往让那些创业以来同甘共苦的公司元老们感觉相形见绌并生出怨言——“明明我们自己洒下汗水才有公司今天的规模……”因心怀不满离公司而去。如此，在公司发展起来后，新人才替代了几番辛劳的元老们，他们才能出众，能言善辩，跋扈于公司上下，于是公司也危机四伏。

作为公司精神支柱的元老们纷纷离去后，公司“水土”逐渐变质，不久之后业绩也会下降。

“随着公司的发展壮大，继续重用创业时付出辛劳的人们，他们已显得力不从心，我正打算从外面引进优秀人才，这种做法是否合适？”有人前来请教时，我总是这样回答：“有必要引进优秀人才，但也请厚待同甘共苦之人。”

这句话并非冠冕堂皇的敷衍。

中小规模的企业想引进一流大学毕业的人才，然而这类人才却不愿屈就。当京瓷规模尚小之时，前来应聘的多为平庸之辈。

常言道“量体裁衣”，若作为经营者的社长自身碌碌无能，那么进入公司的员工自然也庸庸无为。但因经营者担心企业的未来，自己个人的事可暂且搁置，但担心按老路走下去企业将难以为继，为了让公司有更大的发展，迫在眉睫的便是寻求优秀的人才。

其实也不尽然。环视公司内部，会发现有很多元老级人物，公司弱小时他们即已存在，与经营者同甘共苦，并追随至今。一定要重视他们。

规模尚小之时来到公司的员工，可能学识不多，木讷无言，其貌不扬。然而，如果从小公司开始这二三十年来他们一直任劳任怨，兢兢业业，就说明他们已经成长，他们的人格已经成熟。应当珍视这样的员工。

我认为，构筑组织好比修筑城池。修筑完美的城池首先必须建造坚固的石墙。然而，石墙并非仅由巨石——优秀人才所构成。巨石与巨石之间必须填埋小石块。每个险要之处，若没有巨石与巨石之间填埋的小石块，那石墙必然脆弱不堪，一触即溃。

换言之，大胆采用如巨石般杰出而能立功之人——包括从外部引进；而另一方面，长久以来为公司献身尽力的人，如同填埋于巨石与巨石之间的珍贵石块一样，也应发挥其作用。虽非巨石，但他们久经考验，弥足珍贵，绝不能弃之不顾。所以，只有留下这些默默无闻、埋头苦干的老员工，公司才能变得更加强大。

西乡正是参透了真理，参晓了人心之妙，才能领悟这一人事安排的玄机。

第二章　考　验

逆境是重新审视自身、以备再次起步的绝佳时机

领导者必须率先垂范

一时的成功不能保证一世的成功

克服苦难，树大志

人生波澜万丈、跌宕起伏，须直面几多历练。面临艰苦卓绝如何应对，将改变当事者此后的人生。如果遭遇灾难，便心灰意冷，意志消沉，那宝贵的一生也只会黯然虚度；反之，勇于迎难而上，克服艰难困苦，就能提升精神境界，人生也会随之展开新的一页。

介绍西乡所作名诗一首。

【遗训第五则】

曾作七绝以示："几历辛酸志始坚，丈夫玉碎愧砖全。一家遗事人知否，不为儿孙买美田。"西乡曰，若有违，言行不一，则人尽可唾。

【释义】

曾经，作汉诗七言绝句一首示人：“几历辛酸志始坚，丈夫玉碎愧砖全。一家遗事人知否，不为儿孙买美田。”（一次又一次经历辛酸苦难后方能坚定志向，真正的男子汉应宁为玉碎不为瓦全。关于这一点，自己有传家之训，不知世间人们知晓否。那就是不为子孙购置良田，换言之，不给子孙后代留财产。）西乡说，若违背此言，言行不一，则任何人尽可以唾弃他。

忍受苦难，饱尝辛酸，仍不断努力，迎难而上，力求超越。如此才能坚定自己的志向。这正是西乡壮烈一生的真实写照。

在西乡三十岁出头的时候，大老（江户时代德川幕府中的辅佐将军的最高官职名）井伊直弼兴起“安政大狱”（1858—1859年），对尊皇攘夷一派的镇压更为严厉。幕府追兵的目标甚至直指京都东山清水寺住持月照和尚。对于西乡而言，月照是维新革命的志同道合者，是亲密的朋友，更是他尊敬的老师。西乡为助其逃脱幕府的追捕，遂带回萨摩藩，向藩主的亲生父亲、实际掌控萨摩藩政权的岛津久光寻求保护。

然而，久光深恐受到牵连，不愿节外生枝与幕府产生不必要的摩擦，便不予回应，并下令将月照驱逐出萨摩藩，撵至日向（今宫崎县）。当时所谓撵至日向，亦即撵至长州藩，言下之意实为暗地里偷偷越过萨摩与日向的藩境后将其斩杀。对此，西乡心知肚明。

趁着黑暗驶向日向的船上，想到将弃同志一人于死地而不顾，西乡不齿，也不忍下手，遂下定决心自绝己命。于是，两人对酌之后握手同投锦江湾。

月照溺水而亡，而西乡却被人发现后救起。虽因吞入大量水而神志不清，却奇迹般地留下一命。

本已有与同志同死的觉悟，然而自己却苟全性命。对武士而言，这比死亡更痛苦，更让人难受其辱。传闻西乡的家人在很长一段时间内将西乡目力所及之处的利器悉数隐藏。

佛教所言之修行——“六波罗蜜”中，有“忍辱”这一法门。承受屈辱并忍耐之，对人而言这是至为困难之事。即便如此，如果能坚持忍耐，人便能接近悟道。

西乡忍受了莫大的屈辱，在人生的岔道口，他坚强地选择了继续活下去。

其后，西乡又因事触怒久光，被流放至一个叫作冲永良部的偏僻小岛上，开始了艰苦的囚徒生活。牢房没有墙壁，四面仅由格子搭建而成，狭小而粗陋。囚禁其中，饱受无情的风吹日晒，有时甚至连海浪都能打进来。而一日仅有两餐稀粥为食，西乡眼看着一天天消瘦。然而，在如此恶劣的环境中，西乡也不曾吐露半点恨意。

不久西乡被转入禁闭室中，并得到允许，可带入中国的古代典籍。于是，西乡便日日读书，专注于冥想。经过这一系列的严酷考验，并接受先人的教诲，西乡逐渐成长为有坚定信念、坚韧不拔的志士。数年后，西乡得到允许回到萨摩藩，仍经历多次人格的锤炼，不断成长。于是，西乡向着实现维新这一目标迈进了。

我在幼年时曾患结核病；中学的入学考试两次失败；第二次世界大战终结的前两天——8 月 13 日，鹿儿岛大空袭中老家的房屋被烧毁殆尽；兄妹们放弃了升学转而支持我报考大学，我参加入学考试，结果志愿的大学没考上；后来，因为没有门路，入职考试也屡遭失败。于是，我开始哀叹自己时运不济，并逐渐玩世不恭，甚至钻起牛角尖——不如干脆去当个黑道书生好了。

如今追忆往昔，虽不如西乡那般波澜壮阔，但也算经历并超越了数度苦难，由此我的志向才变得更为坚固，才能造就如今的自己。倘若出生于优越之家，捧在手心怕摔了，含在口中怕化了，轻松进入期望的学校就读，顺利进入著名的大企业就职，全然不知人间疾苦，那我的人生道路将是截然不同的。

孩童时期，父母常告诫道："千金难买少年苦！"

每当此时，我就会反驳："那你们可别卖掉啊。"

然而，父母之言实为真理。逆境其实是重新审视自身、以备再次起步的绝佳时机。逆境中不消极，不自怨自艾，而是将挫折视为进一步坚定志向的契机，无畏地迎难而上。不屈不挠，通过人生的几番历练，才能成就大志。

同时，西乡断然所言"不为子孙买美田"，言下之意，即便是最疼爱的儿孙辈，也不应给他们留下财产。读此金玉良言，不禁感叹，那些沉湎于积聚个人、家族财产的人，到底，他们能公平执政吗？

西乡所言乃至公无私之念。连儿孙辈的生活方式也严格要求，至于“我”字，更被抛到了九霄云外。

秉持这样超越骨肉亲情，甚至不近人情近于“无情”的无私之心，发誓“不为儿孙买美田”，这似乎不合人之常情，故很难实行。然而西乡因为自己曾经饱尝辛酸，所以决不会违背誓言，这也正表明他的意志之坚定。

身为领导者，应当如同西乡那样，即便深晓人情世故，却仍志向坚定，不为所动。

西乡就这样持坚定之志，百折不挠，终生不渝。

后方坐镇不如前线战斗

西乡下面的这段训言，告诫了位于人上的领导者所应有之觉悟。

【遗训第四则】

位万民之上者，慎己，正品行，戒骄奢，勉节俭，勤职务，为人民之楷模。下民若不怜其辛劳，则政令难行。然草创之始，华屋，锦服，美妾，谋财，维新之功业终难成也。今戊辰之义战既成营私之态，念此，无颜以对天下及战死者，泪频催也。

【释义】

位居于众多国民之上者，应努力做到时刻谨言慎行，戒骄戒奢，图节俭、戒浪费，谦恭朴实，勤于本职，励精图治，成为民众的楷模。一般民众若不为领导者的勤奋工作和简朴生活所感动，不对领导者起怜恤之心，则政府的命令难以得到执行。

然而，现今虽为维新之业始创，有些人却将家里装饰得甚为奢华，平日也锦衣玉食，更有美妾相伴。而整日脑中盘旋的也只有敛财之道，完全无法实现维新的真正目的。事到如今，戊辰之战这一正义的战争也俨然沦落为只图肥私、利私欲之结果，西乡念及此事，深觉无颜面对国家，面对战争中的牺牲者，眼泪长流。

所谓“位万民之上者”，即政治领导者。若将此套用于企业界中，则也可以理解为“处于领导岗位，统领众员工的社长”。

具体说来，即“处于领导岗位的社长应努力做到时刻谨言慎行，戒骄戒奢戒浪费，谦恭朴实，勤于本职，励精图治，成为众人的楷模，员工若不对他起怜恤之心，不为他的勤奋工作和简朴生活所感动，则企业的命令难以贯彻实行”。

归根结底，西乡所言正是“领导者必须率先垂范”这一道理。常听说经营者“以亲身背影做示范，教育员工”这句话。其实，作为领导者，自当方寸不乱，不能卑劣，不可怠惰。时刻正言行，戒奢侈，成为员工的模范与表率。最重要的是，须兢兢业业，若员工不认为其工作之态异常辛劳而心生怜恤，那么上层的指示则无法彻底下达，公司的工作也无法顺利进行。

这一节，让我想起有关领导者的理想的形象，在公司创建不久时，我就思考过有如下两种类型的领导者。

一种是在后方布阵、远眺前线战况而实行指挥。一旦下令，则层层相传，直至前线将士，从而推进战役；另一种类型，是自己亲自挥刀、上最前线冲锋陷阵。到底哪种领导方式才能赢得部下的信任与尊重呢？我也曾百思不得其解。

我小时曾读过一则有关战斗的故事。故事说一位统领全军的元帅在后方布阵，战斗打响了，他还问炮声来自何方。而其手下将军率军在前线冲锋陷阵，伤亡惨重。打了胜仗后，人们却将功劳归于元帅。我觉得很不公平。

想起这段故事，我受到启发，于是下定决心：

“自己一定要亲力亲为，冲锋在前！”

要冲上最前线，去与敌方对峙、对攻。在战壕中，跌打滚爬，鼓励部下，并肩作战。

如此，以自己冲锋陷阵的背影来鼓舞员工斗志，这才该是领导者真正的形象吧。

一般领导者——包括大企业在内，大都坐镇后方，指挥战斗，推敲战略战术，即经营计划，从而实行经营。然而，当京瓷尚为中小企业时，我便认定，自己冲入最前线，以身示范，指挥部下，引领公司前进，这样岂不更好？

当然，身为企业的高层领导，综合考量战略战术也很必要。所以，必须有时在前线与士兵生死与共，有时返回后方阵地，斟酌作战方案。如此往来于前线与后方，实行指挥，这才是杰出的领导者。

而当看到比任何人都努力、辛劳的社长的形象，员工则会怜其辛劳，从而振奋精神，为公司尽心尽力。

若非如此，公司的经营则难以顺利进行。这正是西乡这段训言的真义，从中我们可以获得重要启示——不空谈理论，而是在实际的工作现场获得员工的信任，确立领导风范。

成功也是考验，一时的成功不能保证一世的成功

如今，随着首次公开募股（Initial Public Offerings，简称 IPO）的盛行，诸多风险企业争先恐后，竞相以上市为目标。原本，股票上市的目的在于充实企业财务，以求进一步发展，然而总能见到创业者抛售自己持有的股份以求获得巨额利益。

其后，他们便建造数十亿日元的住宅，甚至在地下修高尔夫练习场；购游艇，置多辆高级轿车四处兜风，西乡在百年前慨叹之事现如今却似乎已司空见惯，理所应当。

“自己挣的钱嘛，怎么花当然自己说了算。”

创业者们这么解释。然而，创业之初他们一定曾

借助他人之力，大家共吃苦、同流汗，拼命工作。然而，一旦大量钱财收入囊中，他们便俨然换了副面孔，只差要脱口而出：

“这都是靠一己之力达成的。”

然而，一时的成功不能保证一世的成功。

中国的古语中，有“唯谦是福”一语。陶醉于微不足道的成功，沾沾自喜，目中无人，这样的人，最终必将沉溺于自身无止境的欲望中，不可自拔。忘记谦逊美德的经营者所掌舵的企业，从无长久持续繁荣的先例。

其实，考验并不是单指苦难，成功也是上天给予的考验。即便凭借一时的运气获得成功，也绝不能忘乎所以。不失谦逊之心，努力不懈，这点至关重要。

虚心倾听别人的意见

【遗训第十九则】

自古，君臣皆以己为足者，非治功之世。知己不足，则下言入耳也。己足，人言己非即怒，故贤人君子不助之。

【释义】

自古以来君主与下臣施行政治权力时，若均认为自己完美无缺，那么这样的时代绝非大治之世。只有清楚自己并非十全十美，才能虚心听取下级的意见。若自认完人，一旦别人指出自己的不足之处，就会立即动怒。这样不可一世之人，贤人或君子绝不会相助。

雇员不多的小企业中，诚然需要领导者发挥强有力的领导作用。然而，西乡仍给予我们警诫，上层领导者切勿过分自信，高估自己的才能，以至得意忘形。

“以己为足”，换言之，就是对自己有信心，但在这自信的心态上还需退后一步，保持谦虚，向包括部下在内的各色人等请教，完善自己的想法。这点甚为必要。

近年来，引领日本第二次世界大战后经济发展的著名大企业的经营者们，到了晚年就趋向没落。看到他们这种状况，我备感心酸。经营越出色，掌舵时间越久，领导者的自信心就越发膨胀，而鲁莽行事的危险性也随之升高。领导者本人的原意是将企业引向更好的方向，然而客观上多半却是过分自信导致的蛮干。

领导者的鲁莽行事不会发生在企业经营艰难之时，而常出现于经营顺利起步后的发展过程中。

公司历史较久的大企业中，当上经营者的是白领工薪族。作为白领进入公司，因年功序列制度而职位逐年上升，他们之中特别优秀的人才脱颖而出，被委以重任，最终担任社长一职。他们并不如创业者般自己赤手空拳自立门户，而是因出类拔萃、经营有方，从而成为企业领导者。

这样的人一旦登上社长的宝座，也会独揽大权，从第一任期 2 年开始，第三任期 6 年，第五任期 10 年，其中有些白领经营者超过十年持续留任社长之位。长期握权后，经营者几乎必然地变得傲慢无礼，刚愎自用，独断专行。

尤其，对那些被称为“中兴名臣”的经营者，人们常这样评价：“那家老企业最近不太起眼，不过自从他当社长后，倒是经营得有声有色啊！”他们因出色的经营手腕和业绩而光芒四射，不久却成为“独裁者”，晚节不保，这样的例子何其多也。

杰出的经营者游刃于两极之间

白领出身的经营者很多会因过度自信而陷入独裁，而赤手空拳创立公司、自中小企业起家的创业型经营者的情形更甚。那么，保持谦虚不傲之姿，广开言路，从善如流，是否仅此就够了呢？当然绝非如此简单。常与部下商议，汲取众人智慧，群策群力，或许企业的经营会平稳无事，但也因此失去了魄力与力量。

有时，领导者必须具备对部下的强硬指挥力。一旦下了决策，就要以洞穿岩石般坚强的意志力贯彻执行。哪怕企业再小，也无例外。所以，某些情形下，企业经营也需要近乎独断的强力领导。

然而，持有强硬领导力的同时，另一方面，也须兼备将前者予以否定的谦虚精神。亦即“独断与协商”、“强与弱”、“无情与宽容”，身为领导者的社长必须能够游刃于这些自相矛盾的极端之间。

只有强硬的领导力会倾向专横，陷于独裁境地；而只知谦虚则缺乏将企业引向蓬勃发展的魄力。谦虚谨慎与坚强领导缺一不可。说来简单，实行起来却异乎寻常地困难。因为，过于强势，有可能为员工所反感，而过于谦逊则会为员工所不屑。

这些矛盾的极端如何调和、如何实践确实是个难题。个人的人生也好，企业经营也罢，如何调和矛盾，如何灵活运用，这正是成功与失败的分水岭。

西乡选择了为“情”而生，为“义”而死。然而，在现实的怒涛中劈波斩浪，还需要在“情”这一要素上加上凛若冰霜的“理”。

西乡幼时的好友、同成维新大业的大久保利通正是这样的“理性”之人。而正凭借着理性，他才得以在混乱局势中成为新政府的中心人物，从而能够构筑策划这初生之国的制度与体制。

有西乡内心让人动容的至“情”，有大久保利通所探究的合理且极为严密的事物之“理”，有时是充满仁爱之心的慈善，有时是挥泪斩马谡的果断严厉。兼具这些矛盾的两个极端，有理性之光的照耀，有至真至情的关爱，这才是领导者应具备的素质。

年轻时，我读美国作家菲茨杰拉德的专栏，深有感触。自那以后，我常在公司里这么说：

“把自相矛盾的极端性格融为一体，游刃有余，毫无矛盾，具备这种能力的人也就是具备了最高的智慧。”

最高的智慧，亦即能够融合矛盾之两极端，例如宽容与无情，利己与利他，根据不同的场合运用自如。

然而，这绝不意味着中庸。必须强硬时能强硬，必须示弱时能示弱。自信地统领集团，不论遭遇何种艰难险阻，决不胆怯：“跟着我！”在某些局势下，发挥强大的领导力带领团队奋勇前进；而某些情况下，则慎重地听取各方意见，使团队不致走错方向。如此恰如其分地运用矛盾两面的人，才真正具备最高的智慧。

美国作家雷蒙德·钱德勒在小说《重播》（*Play-*

back）中托主人公之口说：“男人不自强无以生存；然而，男人无爱心则连生存的资格也没有。”此言也同理。

不论意志多么坚强，多么希望创下出色的业绩，但从不体谅雇员和身边众人，这样的经营者没有存在的价值，他们所经营的企业也不可能长久繁荣。如此说来，体贴、怜恤员工的慈善之心不可或缺。

经商也同样如此。只想着自己获利的生意不会长久成功。“卖者开心，买者高兴”，必须做到交易各方皆大欢喜。经商绝非你亏我赚的“零和游戏”。

经商的目的虽是追求利益，但仍然应尽力做到“让对方也获利”，这才是从商的原点，是奥义之所在。

尽力为对方着想的举措，却会变成自己的利益。这貌似二律背反的矛盾，其实早在约2500年前就有人给予了完美的解释。他，就是释迦牟尼。

佛教典籍中有“自利利他”一语。其义为，若想利己，必先利他。这就如同常言所说，“好心有好报”为对方着想，仁厚相待，不久必将收益自己的福报。

第三章　利　他

抑制自己的欲望而利他

修身养性的关键在于克己

要将事业做大，不仅要用“君子”，更要用好“小人”

利他是现代社会的“灵丹妙药”

西乡隆盛生于下级士族之家，幼年时曾有“大草包”、“傻大个”的绰号。他体格魁梧高大，目光炯炯，是个沉默寡言的“闷葫芦”，不属于反应敏捷、聪明伶俐的类型，所以常受伙伴们的冷落。

这个孩子长大后却成就了一番伟业。为何西乡能如此杰出？这与被赞誉为名君的岛津齐彬的培养与提携不无关系，但更重要的原因是他个人曾几经苦难。

究其原点，是两度流放荒岛的经历，其间他饱尝辛酸。

35 岁前，西乡被流放至鹿儿岛西南 500 公里以外的冲永良部岛。如前章所述，西乡昼夜关在狭小的牢狱里，严寒酷暑、风吹日晒，环境之恶劣、处境之悲惨非常人所能忍受。

巡视官土持政照看在眼里，实在于心不忍，遂向该岛的地方官求情，西乡这才转移至禁闭室中，不必再受风雨之苦。其时，西乡骨瘦如柴、气若游丝，幸亏岛上人们拼死相救，得以存活下来。为报答救命之恩，西乡向当地孩子们教授“四书五经”等中国古代典籍。

某时，西乡问聚集而来的孩子们：“若想家庭和睦，该如何是好呢？”

学习热情高涨的孩子们立即抢着答道：“忠君王、孝父母、夫妇顺、兄弟和、友互助。”

这是依照儒教所倡导之“五伦五常”给出的答案，也算答得天衣无缝。然而，西乡却说：

“诚如你们所言，以五伦五常之道解释确乎无错。然而，此不过教条，现实中实行何等之难！”

于是，西乡再度提问：

“无论谁都可以立即实行的方法，那是什么呢？”

孩子们谁都答不上来。

“其乃舍欲也。”西乡道。

只要人人舍弃过度的欲望，则万事皆可顺畅。话虽如此，然而现实社会中，人都为欲所迷，故而家庭也好社会也罢，总会矛盾百出。西乡高妙的见解让我豁然开朗。

如此说来，现代社会世态之乱皆由过度的个人欲望所致。明白这一点，就可以对症下药。每个人一点点地削减自己的欲望，有觉悟做出自我牺牲，有勇气让利于人，则一切问题都可迎刃而解。然而，实行起来却困难重重。西乡明白这一点，却仍然强调“舍弃己欲”。

舍欲，至诚，利他，这才是根治现代社会弊病的良方。同时，也是正确做人的哲学，是真正的道德。

以意志力除贪、嗔、痴

毋庸置疑，求利之心于人类事业与生活不可或缺。但是，这种欲望应适可而止。

自己想获利，仅凭这露骨的欲望去经营企业，如果愿望强烈，也能发展事业。然而，从长远来看，事业绝不会一帆风顺。如果放纵欲望，就是过分自私，到了一定阶段，必将失败。

经营企业，雇用员工，即便只有一两人，其中也已蕴含为社会、为他人的“利他行为”。若更进一步，努力在心中描绘向善之念，并付诸实践，那么人生就会向更好的方向转变。人原本就具备利世、利人的善念。为家人而努力工作，帮助朋友，孝敬父母，这些朴实而微小的个体的利他之举，将逐渐绵延成为社会、为国家、为世界的大规模的利他行为。

抑制自己的欲望而利他，这一思想正是西乡南洲“敬天爱人”之训的核心。

【遗训第二十一则】

道乃天地自然之道，故讲学之道，在于敬天爱人，以克己修身为终始也。克己之真义在“毋意、毋必、毋固、毋我”（语出《论语》）。

凡人皆以克己成，以纵己败。观古今人物，事业初创之人其事大抵十之成七八，余二三终成者稀。盖因初能谨言慎行，故功立名显。然不觉爱己之心起，恐惧慎戒之意弛，骄矜之气渐涨。恃既成事业，苟信己万般皆能，则陷不利而事终败，皆自招也。故克己，人未睹未闻处慎戒也。

【释义】

所谓道，是天地固有之理，所以治学应以敬天爱人（这里的天可解释为神灵，但做“天道”理解似乎更为恰当。换言之，恪守天道即是敬天；而海内皆兄弟，故以仁之心爱众即为爱人）为目的，时刻谨记克己以修身。克己真正的目标是《论语》所言之“毋意，毋必，毋固，毋我”(不主观，不独断，不固执，不唯我)。凡人皆因战胜自我而成功，因放纵自我而失败。以历史人物为鉴，事业始创时，多数人能出色达到目标的十之七八，而能圆满完成余下二三成的人则屈指可数。究其原因，最初能自我约束，谨言慎行，从而功成名就。然而，功成名就后不知不觉生起爱己之心，谨慎、畏惧的神经松懈，开始骄傲、得意忘形起来，事业既成便自以为干什么都不费吹灰之力。这种过分的自信会把事情搞砸，最终导致失败。这一切都是自作自受。所以，最重要的是战胜自己，哪怕独处时、无人监督时也能自律、自诫。

西乡所说的“道”，即天道，也就是诚。中国古代典籍《中庸》有云：“诚者，天之道也。诚之者，人之道也。”诚实，至诚相待，乃天道，而依循天道行事，方为人之道，是做人的法则。

西乡认为，治学、钻研学问，目的在于“敬天爱人”。遵循天地自然的规律，恪守诚之道，不分贵贱关爱众生，这才是治学的目的。

并且，若想依循敬天爱人之道行事，则自己必须修身养性，而修身养性的关键在于克己。我所理解的“克己”之意是“战胜烦恼丛生的自己”，或者说“压制自身过度的欲望”。

人一旦放任自流，心中就会涌出无穷的欲望。这些欲望是造物主赋予人类的本能。人生于世，必定常生烦恼，人为了维持肉体生命，这种烦恼或欲望必不可缺。

换言之，肚子饿时涌出食欲；外敌入侵，即生怒火；因蒙昧无知、不明事理而满腹牢骚。上述贪、嗔、痴在人类烦恼中为最甚，佛教称其为“三毒”。倘若放任不管，这三毒会经常攻入心头。

抑制烦恼的行为就是克己。所谓克己，即以自身意志力消除心中常现的烦恼——尤其是“三毒”。

接着上句，西乡说道：“凡人皆以克己成。”这里的“己”，便是会涌出欲望与邪念的自己。战胜了自己，那么不论工作还是人生都将一帆风顺。西乡一语道破——与欲望缠身的自己斗争，能否“克己”方为成败的关键。

这正是玄机之所在。开创事业之初，多数人会勤奋努力，能出色达到目标的十之七八。然而，最终彻底成功者却为数甚少。

究其原因，最初谨小慎微，谦恭虚己，贯彻天之道，实行诚之道，兢兢业业，从而功成名就。成功了，了不起了，不知不觉中放松了自律之心，生起自我放纵之心——迄今为止能严于律己，之后却渐渐开始自命不凡。

并非由他人来盛赞，而是自吹自擂——我能在那么艰苦的条件下奋斗，真了不起！于是，开始失却谦虚。伴随着功成名就，人大多必然忘乎所以起来。

并且，原本口口声声称“本公司目标是为社会、为世人”，结果却沦为“为自己”。这就是企业衰落的导火线。这一切都是自作自受，西乡如是说。

如日中天的企业家面前亦有陷阱

“凡人皆以克己成，以纵己败。”

所有处于领导岗位上的领导者都应将此言铭记于心。如前所述，立志创业时，大都能严于律已，谦恭谨慎，兢兢业业拓展事业。然而，一次成功、两次成功之后，无意识中就会翘尾巴，傲慢起来，结果半途折志，以失败告终。

我的恩人青山政次，年纪与家父相当。我大学毕业后进入京都松风工业电瓷瓶制造厂工作，其时他是我的上司。而我从松风工业离职后，青山也辞去工作，参与京瓷公司的创业。

创业之初，只能得到单件生产的订单，我心中越发迫切地希望公司早日稳定，于是接连不断地着手开创新产品。青山看到我急躁的样子，非常担忧。

一次，我和青山一起去外地销售产品。在旅馆里泡完澡铺上被褥，我刚准备躺下入睡。

只听青山说道："稻盛，跟你聊聊吧。"于是两人盘腿坐在被褥上有一搭没一搭地交谈起来。

松风工业的创办人松风嘉定是一流的经营者。他将"清水烧"孕育出的京都陶瓷文化提升为闻名于世的技术，向电力公司提供高压绝缘电瓷瓶，从而扩大了公司的规模。战争时期松风嘉定曾开发成功陶瓷滤水器，解决了军队的饮水问题。事业如日中天之际，松风嘉定想趁势扩大公司规模，于是买下了山师的矿山。然而挖来挖去，仍然一无所获，才知上当受骗了。松风的事业就此急转直下，最终离世时仍欠着巨额债款，松风工业也已日暮途穷，连年赤字……

听到此，我明白一个教训——哪怕有先见之明的经营能手，一旦忘记了谦虚与谨慎，也很容易走向衰败。

青山语重心长，督促我引以为戒。大约因为这番促膝长谈，此后我虽仍一如既往地积极筹划事业的拓展，但决不草率行事、铤而走险，最重要的是，心中谨记切勿骄傲自满。于是，公司蒸蒸日上，顺利发展。

成功难，保持成功则难上加难

我曾受邀在新闻主播筑紫哲也任教的早稻田大学研究生院的课堂上进行过一次演讲，讲述自己的经营哲学。几日后，学生们的听后感送达。其时，活力门（Livedoor）事件尚未败露，课程中也出现了活力门时任社长堀江贵文的事例，于是学生们开始热烈讨论：

“堀江贵文与稻盛和夫两人，到底谁的经营理念正确呢？”

作为经营者，一人认为只要有钱什么都能做成，另一人却认为重要的不是金钱而是人格。而在“利己”与“利他”这一点上两人的目标也背道而驰。在世人眼中，堀江贵文与稻盛和夫两人虽然思维方式截然相反，却都在经营上取得了成功。那么，到底谁是正确的呢？

确实，短期内可能尚难看出差异，问题是成功能否长期持续。

能力出众、满腔热情、干劲十足，事业一开始就拼命努力，若再有好运相助，成功便几成定数。然而，这微不足道的成功有时却成祸端，令人翘起尾巴不可一世，最终事业毁于一旦。这样的例子还少吗？

相较于成功，保持成功更为不易。盼着成为有钱人，过奢华的生活，想出名，希望变得了不起，即便如此动机之下，也能成功一时。最初会想，原来这样也行得通啊。其实，这么低层次的目的，想长久保持成功实在难上加难。

不论经营、政治或治学领域，“成功”不足为奇。成而不骄，谦虚律己，生命不息，克己不止，方才为人杰。

只是，这样的人似乎太正派，旁者看来颇为无趣。然而，若非“颇为无趣”之人，则不可能实现持久的成功。

克己一事，实属不易，所以人的心灵需要哲学的支撑。关于“克己心”，西乡如此表述。

【遗训第二十二则】

克己，临于万事欲克而不得。故先修身养性而后成也。

【释义】

凡事在其时、其地——所谓临场——克己自制，这样克己很难成功，故须平日里振作精神，修身养性以克己。

遗训之二十二则是二十一则的补充。二十一则中论述道，修身须从克制自身的欲望及邪念开始。有人听到此言后便想：“好，明白了！等面临这些问题的时候小心就是了。”

然而，一旦遇到此类状况，并不能立即将克己精神付诸行动。

因而，二十二则补充道：“克己，先修身养性而后成也。”自制的道理，仅仅用头脑理解还不够。平日不论面对何事，须经常训练用自己的意志克制自己的欲望及邪念。西乡所言之“修身养性”，其意即在此。

只有将“克己”精神融入自己的品性、血肉之中，事到临头才不致想克制也克制不了。为此，须积以时日，在平时就不断训练努力克制自己，抑制自身的欲望。

要将事业做大，不仅要用“君子”，更要用好“小人”

企业通常愿意录用一流大学的毕业生，即所谓成绩优秀的人才。而聘用之后，公司又以“工作能否胜任”、“能力如何”为基准考察员工，按评价结果提拔其中的优秀者，将其晋升为高级职员，甚至推选为社长。

当然有能力终归比没有强。然而，仅从是否有才能来判断人的价值，而忽视了人格与品行，这样的思维方式会腐蚀组织。关于人才的任用，西乡说过下面这番话。

【遗训第六则】

用才，苛辨君子小人太过，反生害也。乃因自天地开辟始，世十之七八皆小人。善察小人之情，取其长用以小职，尽其才艺也。东湖先生所言之“小人具才艺者用，且必用也。然居长官授重职，必覆邦家，故绝不立于上”也。

【释义】

任用人才之际，若将君子（德才兼备之人）与小人（品格低下、不足挂齿之人）过于严格区分，反倒会生出事端。其原因在于，开天辟地以来，世间十之七八均为小人，应该善于体察小人的所思所想，取其所长，用作下属，充分发挥其才能技艺。藤田东湖先生说：“小人具备才能与技艺，应善于利用，将其安排在合适的位置，发挥所长。虽说如此，若将小人委以重任，占据领导职位，则说不定会发生颠覆国家之恶性事件，所以绝不能将其置于高位。”

我曾反复强调，任用人才之时，比能力更重要的是观察他的品格，但这并不是说不用有才能的人。

遗训中出现了“君子”一词。所谓君子，即德高望重、能力亦出类拔萃之人。人品优异、为人处世颇具修养，广受信任，再加之能力出众，常有诸如“真有涵养”、“品德真好”之类评价。形容这样的人，西乡用了“君子”这个词。与此对应，还有“小人”一词。所谓小人，可解释为其人才能出众，然而人格不成熟，尚缺修养，虽不足以称为恶人，人格却仍待完善。

我们身边，或社会上，常有这类小人得志、成为领导者之例。企业中，年功序列制也罢，实力主义也罢，只要以能力论成败，便都会体验到这种地位与人格不符的矛盾。

本来，人格与地位应当并行不悖。即应当将人格出众之人提拔至高位。然而，难度在于，现实生活中君子甚少，而小人众多，正是“茫茫人海，适者难觅”。

那么，若拒用小人，组织机构就无法成立，工作也无法进行。西乡的解决之道是，虽说小人人格尚不完善，但既然有才干、有能力，就应予以任用，提供空间以充分发挥其实力。这点请谨记勿忘。

即便不想任用缺乏修养之人，但若不用这样的人，难成大业。看透小人不成大器的缺点，然后考虑如何在企业内发挥他的长处、能力，这是领导者的要务。

具美德而不露锋芒者居高位

讲述一段有关第二电电（即现 KDDI）社长人事任用的往事。

电电公社（即现 NTT）垄断电话通信领域时，日本的电话费用较欧美高出很多。若想降低电话费用，行业中必须出现能与电电公社相抗衡的企业。通信自由化开始时，我期待当时的大企业能结成联盟参与通信事业。然而没有一家企业表示愿意介入。既然如此，我便鼓起勇气，报名参与。

我迎来了电电公社的十几名年轻技术人员，以这群能力出众的人才为核心创立了第二电电。

随后，日本 Telecom、日本高速通信（Teleway）

两家公司也同时宣布参与。日本 Telecom 依凭国有铁道（即现 JR）、日本高速通信依凭建设省（即现国土交通省）与丰田汽车为后盾，两者均为强劲的竞争对手。同时，电电公社这一大型企业也重整旗鼓更名为 NTT。在与这三家公司的苦战中，第二电电顺利成长。

不久，与 KDD 和 IDO（日本移动通信公司）合并，第二电电转而更名为 KDDI，以谋求更大发展。这时，我定下的社长人选是当时并不起眼的人物。因为此人具备作为领导者所需要的“德”，并且得到公司员工们的信赖，很有声望，这正与我心中的评选标准相符。

公司中另有才能出众、劳苦功高之人，而我却没有选他。为表彰他的功劳，第二电电上市之前就让他持有股份，金钱方面予以充分优待，却没有将他放在社长的位置上。

前文遗训第一则中有言“功者赏禄，方惜才也”。有功之臣赏以俸禄，亦即以金钱而非职位相回报。

选拔人才时，不能仅仅任用君子，也须充分利用小人的能力与才干，企业的经营才能顺利进行。然而，只因能力强、工作得力，便让小人登上高位，那么公司必将溃败。

寻觅德高望重、品行端正之人，将这种人放在真正重要的职位上，这是非常必要的。

爱己绝非善行

【遗训第二十六则】

爱己为最不善也。修业无果、诸事难成、无心思过，伐功而骄慢生，皆因自爱起，故不可偏私爱己也。

【释义】

爱己，即只图自己顺心而从不顾念他人，这种私心最为不善。修业无果，事业无成，不思悔改，这些均由过分爱己而导致，所以决不能做这种自私自利之事。

人人都认为自己最重要、最宝贵，所以，最不愿自己受到伤害或有所损失。不仅如此，动辄还爱自我表扬——自己能力强，工作得力等等——这样想着不禁翘起尾巴、沾沾自喜起来。这些即西乡所言之“爱己”。

追逐名利，觊觎权势，这些行为都发端于过分看重自己，也是最不可取的。

难成大事也可归因于爱己。以自我为中心的“自爱心”作祟，只要自己好就行，这种想法和做法得不到他人的协助。

不能一味想着“利己”，而应将“为生意伙伴、为员工、为社会”的“利他”作为思考问题的出发点，如此就能得到他人的信赖与协助，不论事业或人生都会顺畅。

更进一步，持“与他人为善”之念，并积极付诸行动，那么，不仅会得到身边众人的帮助，连上天也愿助其一臂之力。有此“天佑”，事业就能成功。

【遗训第二十四则】

道者，天地自然之物。人行道，是为敬天。天佑众生，故当爱人如爱己也。

【释义】

所谓道，是天地自有之物。人应当循道而行，其首要目的是为敬天。天平等地关爱他人、关爱我，所以应以爱己之心来爱他人，这点至关重要。

西乡隆盛所言，“道者，天地自然之物。人行道，是为敬天”，其中蕴藏着对至高无上之存在的敬畏之心。天至高无上，公平无私地将爱给予世间万物。那么，我们自然也应当以爱己之心来关爱他人。

以爱己之心爱人，与其后第二十六则中“爱己为最不善”似乎自相矛盾，其实不然。本则中的“爱”，并非以己为重的自私之爱，而是怀着仁慈的爱心对待万事万物，也就是对他人的无私之爱。

这句话商场上也同样适用。经商时，我们习惯以己方能否获利为出发点考虑问题。其实这不对。江户时代提倡商业道德的石田梅岩曾说：“兼顾彼此者方为真正之商人。”尽力做到双赢，这才是商界的法则，是至高的境界。

如果希望己方获利，那么就要让生意伙伴、客户获利，让他们满意。若能如此，必将得到回报。西乡所言之“爱人如爱己”这句话对从商也非常重要。

【遗训第二十五则】

不与人对，与天对。与天相对，尽己责而勿咎人，寻己诚之不足。

【释义】

心中应谨记，勿把人当对手，而常与天相对。与天坦诚相对，尽己之诚意，绝不咎责他人，而反省自身诚心之不足。

“不与人对，与天对。”这话对经营也很重要。哪怕是商务会谈，也不把对方当对手，而是将心与天相对。这意思就是应当以真心、以真诚、秉持正道去处世。记得日本泡沫经济极盛时，不仅房地产商，连大银行的分行长也来热心相劝，去买房地产吧，肯定升值，去买股票吧，肯定升值。银行给买地、买股票者融资，可以收取贷款利息赚钱，因此三番五次来劝说投资不动产、投资股票。整个日本都陷入房地产与股票的投资狂潮之中。

然而泡沫完全破灭，经济一落千丈，损失惨重者不计其数。

这是因为大家都只是“与人对”；没有贯彻“与天对”的真心和真诚，没有扪心自问这种投机行为是否符合原理原则，作为人是否正确，是否符合天道。

当靠投机赚钱的说客来到跟前，我们就应思考，他们这些话是否符合天道。额头不出汗，不付出辛劳，仅仅从左手换到右手就可赚取暴利，即使能够做到，但这样做对吗？我们应该想一想。可惜当时很少有人这么想过，大家都只“与人对”，愿意相信说客的劝告，因而落入陷阱。

泡沫经济崩溃后也一样。房市、股市一落千丈，损失惨重。于是人们又都开始埋怨当初劝说自己投资的人：“我根本不想买，都是你说买吧买吧，都是你说给贷款、给贷款，我这才买的。”大家都将责任推给他人。

究竟谁之过？西乡说：“不与人对，与天对。与天相对，尽己责而勿咎人，寻己诚之不足。”他告诫我们，面对失败，应当反省自身的不是，反省自己诚意不足。把责任都推给别人未免太荒唐。

然而，非常遗憾，现实生活中能遵循此教导、提升自己理念的人实在寥寥无几。正因如此，泡沫经济才阴魂不散，到时恐怕还会再现。这也算是人世间之常态吧。

第四章　大　义

敬天爱人

心无旁骛，不断努力

动机善否，私心有无

京瓷的社训——敬天爱人

西乡的思想，一言以蔽之——敬天爱人。这四字西乡晚年常写于书法作品之中，京瓷将它作为社训。

敬天爱人——敬畏上天，关爱众人。这词句优美、动听，触动人心。所谓敬天，就是依循自然之理、人间之正道——亦即天道，与人为善。换言之，就是“坚持正确的做人之道”；所谓爱人，就是摈弃一己私欲，体恤他人，持“利他”之心。

我出生于鹿儿岛市药乐师町，距西乡出生地加治屋町很近。西乡是故乡人们的骄傲，常听父母、老师讲述有关西乡的种种。当然，“敬天爱人”一语也是自幼耳濡目染。

在西田小学就读时，校长的屋子里便挂着一幅“敬天爱人”的精妙之作；儿时我自封孩子王，常跟伙伴们在西乡的临终之地城山奔跑嬉闹，岩崎谷隧道上也立有“敬天爱人”的碑刻。

13 岁那年，第二次世界大战才终结，所以小学时我接受的是战前教育。当时的时代已逐渐向军国主义倾斜，然而在我孩童的内心却能感知到，西乡的教诲超越了地域、国家、人种和宗教的差异，是永恒不变的真理。

之后，我大学毕业，前章已述，进入京都松风工业这家生产电瓷瓶的中小企业就职。然而，刚开始工作公司就持续拖欠工资，同期入职的员工对公司不抱希望，纷纷辞职离去。只我一个人留下，埋头专注于研究特殊瓷器，即现在所谓的新型陶瓷。

其后，我因与上司发生冲突而离职。

这时，七位同伴给予声援：“绝不能让稻盛的技术夭折，成立新公司吧！”于是，与他们一起共同创立了新公司——1959 年 4 月 1 日，京瓷公司的前身京都陶瓷诞生。

没多久，我便与“敬天爱人”四字有了宿命般的重逢。

宫木电机制作所宫木男也社长在我创业时曾慷慨出资，且就任京都陶瓷第一任社长，是我的大恩人。某天，出差归来，他一边解开一个包裹一边说：

“稻盛，买了好东西送你。是你的同乡西乡隆盛的书法作品，我估摸着说不定你能喜欢。”

我一看，正是西乡所书的“敬天爱人”。尽管并非西乡的亲笔而是临摹之作，宫木先生对刚刚扬帆起航的公司给予的这番好意，以及其中倾注的温暖情谊，让我感激之余，流下了热泪。

我立即拿去装裱店装裱起来挂在公司的接待室中。当时还在借用宫木电机的仓库二楼当办公室，冬天仅能依靠圆火炉烧炭取暖，这幅字如今已被熏成了茶褐色，然而它却是我的无价珍宝，无可替代，现在仍悬挂在我的工作室中。

就这样，27 岁时我由一介普通技术人员被推举到企业经营者的位置。从公司创立之时起，员工就要求我做经营方面的判断。此时倘若出现一丝判断失误，这个小小的风险企业转瞬就会分崩离析。

我既未学习过经营，也毫无经营的经验。究竟如何从全局上判断事物，我迷惑不解。那期间，要求我下判断、做决策的事情接踵而来。

万般苦恼之后，我终于下定决心——把孩提时父母、学校老师教导的“坚持做人的正确之道”作为一切事物的判断准则。不知经营为何物的我，将融入血脉的最朴实的伦理观套用在企业经营上。除此以外毫无其他经营手段可言。

那一刻，我的目光停留在宫木社长所赠的“敬天爱人”的书法上。“敬天”，不正是前文所述“坚持做人的正确之道”吗?

“按西乡的教诲行事，绝不会错！”

这么想着，我就决定将“敬天爱人”作为京瓷公司的社训。自那以来，我遵循这一思想，为公司的经营掌舵，从未偏道。

确立经营理念

企业经营需要大义。

创业第三年，也就是1961年4月发生的事件，让我深刻领会了这一点。

前一年初次录用的11名高中毕业生集体来到我的办公室，说：

“我们入职的时候完全不知道原来是这么破败的一家公司，我们对未来很担忧，实在没法安心工作。你要给我们保证定期加薪和奖金发放。如果不答应那今天就全体辞职。”

说是连血印盟书都准备好了，看起来势必不达到目的决不肯善罢甘休。

京瓷当时是成立不久的小公司。我只好试着说服他们。

“这些要求我很难做出承诺。大家齐心协力以求公司发展，好吗？”

然而，他们一步也不退让：“我们要生活。请给予未来的保证。”

于是我将他们领至自己的住处，促膝商谈。当时，我和家人住在京都嵯峨野广泽池附近的一个市营小住宅中。在那里，对话持续了三天三夜。

虽然无法承诺未来，但肯定所做的一切都是为了你们。请相信这一点。若有背信弃义之事，任杀任剐。

话已至此，他们也含泪点头。这场小小的内乱总算平息，好歹松了口气。然而，那一夜，我辗转难眠。

父亲是战前印刷所里的学徒出身，从我记事起，就在鹿儿岛市内经营着一家小印刷所，倒也算经营得有声有色。

然而，空袭中工场烧毁，印刷机器全都化为灰烬。

此后，父亲一蹶不振。母亲含辛茹苦地把包括我在内的七个孩子拉扯成人。兄长没上大学，妹妹高中中途退学，他们都齐心协力以助我考入大学。

我在京都工作后，虽然每月都给家里寄钱补贴家用，但实在甚为微薄。公司刚刚起步，我连自己的亲兄弟姐妹都不能照顾周全，却不得不许诺舍命保障这些非亲非故的人们的生活。毫不隐瞒地说，当时我不禁这么想：经营企业不是在干傻事吧。

声援稻盛和夫的人们，为让稻盛的技术问世而成立了京瓷公司。换言之，作为经营者的我，实现作为技术者的自己的梦想，这就是当初创业的初衷。然而这样的理想已一吹而散，而不得不以保障员工的生活作为公司的目的。为此，我烦闷不已。

“追寻技术者之梦想，不就有可能牺牲员工的利益吗？公司本就应该以保障员工及其家属的生活，使大家获得幸福为第一要义吧。”

这么想着，公司接待室里悬挂着的“敬天爱人”的条幅似乎静静地俯视着我，宛如西乡在谆谆教导：“关爱他人才是最重要的啊！”于是，烦恼一扫而空，我心意已决。

在追求全体员工物质精神两方面幸福的同时，为人类、为社会的进步发展做出贡献。

就这样，公司的经营理念确立了。既非圆技术者之梦，更非满足经营者的私心私欲，而是为员工、继而为社会、为世人——这就确立了公司的大义名分。

正因为有了作为经营理念之大义，京瓷公司的全体员工才能齐心协力，团结一致，推进创造性的技术开发，继而多方面拓展事业。而这，也成为公司发展的原动力。

领导者首先应该明确集团应有之目标，即确立符合大义名分的企业目的，同时努力使这种目的为员工所共有，全体员工都乐于齐心协力为企业做贡献。建立这样的团队很重要。

以策略取胜的成功难持久

时至今日，忘却大义、一味追求自己的利益，耍花招、玩弄雕虫小技，这样的事例比比皆是。

而西乡如此论述。

【遗训第三十四则】

平日勿施计。以计行事，其迹不善视之判然，必悔也。唯临战不可无计。倘平日用计，临战则计难出也。孔明平日不施计，方能行奇计。予自东京归撤时尝与弟云："迄今未曾用计，后亦无劣迹，此言可见。"

【释义】

所谓计谋（或手腕），平日最好不用。以计谋行事，其结果不善一看便知，事后定会追悔莫及。唯一例外是交战之时不可无计。如果平日常以计行事，一旦大敌当前，则很难施行恰当的计策。诸葛孔明（中国三国时代蜀汉的丞相，是忠诚无私之人）正是如此，平日不使用计策，才能在紧要关头施行意想不到的妙计。自己从东京撤回时，曾经对弟弟（从道）说："我迄今从未使用过任何一点计谋，之后也不会留下此种劣迹。这点你可见证。"

企业常处于残酷的生存竞争之中，可谓真正的战场，是弱肉强食之争。那里潜在的规则是胜者为王、败者为寇，所以为生存人人无所不用其极，甚而连狡猾且卑劣的花招也似乎天经地义了。然而，对此我却不以为然。

企业经营中，战略战术是必要的。描绘公司发展图景，决定研究开发的方针，探讨应该致力于何种产品的生产、事业如何拓展，为此通过调查确定必要举措并付诸实施。这种战略战术必不可少。

然而，现实情况却是，多数经营者只从狭隘的视野出发研究策略，费尽心机只为摧毁竞争对手，或者扯同行业者的后腿以便自己公司浮出水面。当然，与竞争对手间进行你死我活的激烈竞争——也就是西乡所说的“战争状态”时，策略还是必要的。

然而，在处心积虑对付其他公司之前，首先应该做的是，心无旁骛，不断努力，壮大自己的公司。经营者如果带头只顾挖空心思去拖竞争对手的后腿，欺骗对方而让自己得利，那公司是不会有发展前途的，到时一定会栽跟头。

以策略取胜的成功绝不会长久。这边设下圈套，那边对手毫不示弱，也以诡计还击。钻对方空子，对方也照样钻你的空子。这类策略即使一时获得成功，对方也必会以其人之道还治其人之身。如此一来，时刻满心猜疑，精神持续紧张，生恐有所疏忽而露出破绽。这样的状态下，具有良知与良心的人如何能心安理得。

世间有爱耍小聪明、玩弄诡计之徒，他们用尽机关，处世圆滑，一边满脸堆笑，一边毫不在乎地将他人踏于脚下当垫脚石。

如此行事，最终自己也必然会被拖下水。“天网恢恢，疏而不漏”，这类人不可能永远得意。

只要坚持努力做好分内之事，贯彻己之诚，这就已足够，何必在意他人种种。

【遗训第七则】

事无大小，踏正道推至诚，凡事不可使诈谋。人临障碍，多爱用计，一旦事畅，后伺机而动。然计必生烦，事必败矣。行正道，目下迂远，然先行则早成也。

【释义】

事情不论大小，都应以至诚之心，依循正道，绝不可使用阴谋诡计。大多数人在遇到阻碍之时，以为只要以计策将障碍一扫而空，之后便可伺机而动。然而，用计谋行事必会出现后患，长远看来此事定会失败。依正道而行，似乎舍近求远绕了弯路，但若先行一步，则也能早日成功。

西乡的言下之意在于：“不应总想着用计谋达成目的，更不能不择手段，而必须以至诚之心依正道行事。”

运用诡计、花招，可能获得一时的成功，然而成功绝不会长久，终究会失败。

另一方面，也常听说有人“为达目的而不择手段”。其实，不论工作抑或人生，当陷入僵局时，为尽早达到目的而禁不住做了恶事。即便良心上明知不对，却总还心存侥幸，认为不过小事一桩。更极端的情况是用“只要结果好那一切都没错”来说服自己。其实，不论何时何种情形，都必须行正道、尽真诚。

常扪心自问“动机善否，私心有无”

近代政治学奠基人、意大利思想家马基雅维利（1469—1527）在其《君主论》中阐述了掌权者的统治方法。马基雅维利排除了政治中的伦理与道德等理想主义的要素，立足于彻底的现实主义，所以马基雅维利主义有时被称作“为达目的不择手段”的权谋主义。因为他将君主所倡导之理想、憧憬也视为争取民众拥护的统治手段。

另一方面，英国哲学家詹姆士·艾伦（1864—1912）在《原因与结果法则》一书中，说明只有“纯粹之心”才具备将人与社会引向正确之途的伟大力量。

不论事业或是政治均如此，资金、地位与能力俱备，煞费苦心，拟定计划，酝酿战略战术，却仍有出师不利之时。

然而，心思单纯的人，以简单纯粹之念为出发点考虑问题，开始行动后尚未回过神来，便已大获成功，一鸣惊人。纯粹、美好之心，坦率、真挚的想法，其中其实蕴藏着惊人的力量。获得巨大成功的人，往往发端于这种至纯之念，詹姆斯·艾伦如是说。

我深信，被称为领导者的人，应首要掌握的绝非马基雅维利的理论，而是艾伦所说的“纯粹之心”。历史已经证明，金钱、地位、权力、计谋，在毫无阴霾之心、诚心实意之志面前，是毫无招架之力的。真正的伟业正因为源于高洁无瑕之念，从而得到许多人的协助，才能成功。

【遗训第三十八则】

世人所倡之机会，多为侥幸所得。真正之机会，在尽理而行、审势以动。平日忧国忧天下之诚心不厚，只趁时而成，事业绝难永续。

【释义】

世人所谓的机会，多数指偶然之侥幸。然而尽道理而行，审时度势而动，如此情形下才有真正的机会可言。平日忧国忧天下的诚心不足，仅事到临头随势而动，这种成功绝不可能长久。

第二电电（即现 KDDI）所发起的进军通信产业领域，如前所述，其目的为降低国民的通信费用。为此，必须取消电电公社（即现 NTT）的市场垄断，导入竞争机制，这也正出自“大义”。

信念坚定则无坚不摧，此言千真万确。参与通信产业，是与强大的 NTT 相抗衡的大业。就此事与牛尾电机公司的牛尾治郎、西科姆的饭田亮、索尼的盛田昭夫等人商议，他们也纷纷赞同。

“好好干一番吧！”

最终，包括大商社在内的 250 家企业共同出资。

其实，到那为止的半年里，我每晚临睡时都反复自问自答。

动机善否？私心有无？

稻盛和夫，你想做的事情确实是为国民所想吗？不是仅仅说漂亮话吧？有没有私心想趁此机会壮大京瓷公司，从而谋取私利？有没有想自己出风头的邪念？

如此持续半年时间，我尖锐地剖析自己，扪心自问，直至能坦然面对自己的良心，断然发誓“绝无私心”时，我才下定决心出手。

然而，第二电电并无通信领域的技术和经验，也无铺设光缆的渠道。我坐飞机前往国铁总裁处，提出请求：铺设光缆时请加入第二电电，使用费会照常支付。然而却被冷淡地拒绝。在道路公团的遭遇也大抵如此。别无他法，只得环日本列岛建造铁塔，架设抛物面天线（satellite dish），自己独立建造了称为微波通信（microwave）的无线网络。

在新电电公司中，第二电电一度被认为条件最为不利，曾被断言一定最先倒闭，结果却只有它存活了下来，现今变为 KDDI，作为唯一与 NTT 集团相抗衡的通信运营商，至今仍在茁壮成长。

这结果正应验了西乡之言："平日忧国忧天下之诚心不厚，只趁时而成，事业绝难永续。""为国民"这一大义就是我的信念，一刻也未曾动摇。

说句题外话，我虽为创业者，但并未持第二电电的一份股份。如果持股，则上市后能获取莫大的利益与财富。然而以"动机至善、私心了无"为镜自省，我决不允许自己做这样的事。

倘若我忘却了创业时的志向，只图私利私欲，玩弄投机取巧的花招，就不会有 KDDI 的发展了吧。

舍弃私心，净化心志，命运女神才会垂青。

参与新事业的挑战者多数都会以失败告终，成功之人只是凤毛麟角。我深信，决定事业成败的分水岭，就是毫无杂念的"纯粹之心"。

第五章 大 计

领导者应展示企业之大计

时刻谨记博爱精神

积善之家，必有余庆

未经深思熟虑的施政危国殃民

日本这个国家以及日本人，从今往后，究竟何去何从？当今日本虽已物资富足，却仍宛如茫茫大海上的一片孤叶，正在漫无目的地漂浮。我总有这样的感觉。

日本国内人口已逐年递减，正急速迈入老龄少子化社会。这将导致劳动人口的减少，不久的将来 GDP（国民生产总值）的增长会回落，国家的收入也会缩减。而诸多问题中，若对当下的巨额财政赤字放任不管，日本迟早会出现全国性的衰退。

将目光转向国际形势，以中国和印度为首的新兴势力方兴未艾，世界的经济格局正大幅改写。冷战终结后，美国曾以其占绝对优势的军事实力暂时维持了世界秩序。然而，正如伊拉克战争所昭示的，美国逻辑绝不代表世界正义。

在这崭新的时代，亟须构建与其相应的崭新世界观。今后的世界格局中，日本人应该做什么，日本这一国家又该走怎样的道路，这些前进的指针对我们每个人，甚而对我们的下一代而言，都是最为切身的课题，应当尽早明确。

维新，即“维之以新”。从幕末转向明治的大变革时代里，以往的一切权威全部丧失殆尽，而价值观与秩序也全盘重整。

以西乡为中流砥柱，集众人之力拉启了明治维新的大幕。之后，大久保利通、伊藤博文等明治元勋相继登场，立于政坛舞台的聚光灯下，仓促草创新政府、定新制度，建新国家。这实在是一次暗中摸索、试探的突击作业。

目睹此状，西乡主张道，新幕初启之际，第一要务实为指明前进之方向。

【遗训第二则】

贤人汇集百官，若不将政权归于一途，不将国体定于一格，纵纳人材、开言路、采众议，亦无从取舍，事业驳杂难成也。朝令夕改，皆统辖无所、施政方针不定所致也。

【释义】

贤人将众多官吏汇集一堂，但政权没有统一的方针，国家缺乏统一的体制，即使任用杰出人才，广开言路、博采众议，因无判断与取舍的一致准则，各项工作必成散沙一盘，成功无望。而政府也朝令夕改，变动无常。这些皆因政治方针未能确定，政令无法统一。

“建设新日本”这一主张提出之际，尚无人描绘出明确的国家形象与发展蓝图。西乡感叹，未立国家大计，即便汇集众多优秀官员，国家也只会裹足不前。

西乡所寻求的，并非一年半载的短期计划，而是“国家之百年大计”，是明确率领日本这一国家步入新时代之际该去向何方这一大政方针。唯有不可动摇的目标制定后，各项施政才能朝着既定目标汇聚并生效。若无大计，只依靠心血来潮式的一时的想法，头痛医头，脚痛医脚，这样施政，国家的未来将岌岌可危。这一思想同样适用于现代政治，所以我认为十分重要。

提出明确的方针

将话题转向企业经营。社长或经营领导者应当深入思考究竟将公司引领至何方。此时，必须拓展视野，展望今后十年、二十年，提出明确的远景规划，以示员工。公司员工因年功序列制度而获提升，其中的幸运者还会荣升社长。这些白领出身的社长抱着但求无过的心态，希望安然无事地度过两年或四年的任期，大都会提出：

"继承前任社长的方针！"

毋庸置疑，沿袭前任社长的方针政策未必不佳。况且，若公司有明确的远景规划，那么也确应郑重其事地予以承袭。但如果新社长上任之时公司的未来图景模糊不清，则首要工作便应明示公司发展之方针：

“我打算如此引领公司的前进方向……”

社长更替而公司依然如故，这有悖常理。对于他个人而言，如果与任职常务、专务董事，抑或副社长时没有任何不同，那么即使升为社长又有何意义？

社长将自己的全部人格、品行投射于公司之中，承担着推进发展之重任；同时全身心投入，使组织焕发生气，这才是社长的职责。难以承担此作用者无任社长的资格，不能胜任此职责当社长也没有意义。社长肩负这份沉重的责任，作为报偿，也享受高额的薪水、奖金与退休金。

话题转回政治领域。

西乡认为国政之根本为“文”、“武”、“农”，提倡将这三者置于最优先的地位。

【遗训第三则】

政之大体，兴文、振武、励农三者。余百般事务皆助此三者之具也。三者中，顺时因势施行先后之序有之，不可此三者后而他者先。

【释义】

政治之根本为尽力做好这三件事：普及知识学问、以振兴教育；整顿军备、以强化国家自卫能力；奖励农业以保证生活安定。其他各项事宜皆为推动、促进此三者之手段而已。三者之中，因时代差异或趋势，有何者为先，何者暂缓的先后顺序，然而绝不可将此三者推后而其他政策优先。

即便身处现代社会，这也是政治上通行的大原则。

“兴文”，意为从教授学童读、写、算等基础知识开始，逐步学习掌握西方的近代文化。即便是现代社会，振兴教育、科学技术与文化艺术也是国家的重大课题。

西乡之所谓“振武”，我认为，并非为侵略而增强军事实力之意，而指保卫本国的防卫能力。当时，欧洲列强推进殖民政策，将亚洲弱国接二连三置于其统治之下。这种局势下，增强自卫能力理所应当。在欧美列强的军事威胁下，必须努力维护日本之主权与独立。

当今日本已是放弃战争的和平国家，如今谈“振武”二字似乎令人惶惶不安。其实，即便今日，保护与守卫自己的国家依然至关重要。但是，保卫国家并不单意味着拿起武器自我防卫。实施以“德”为本的外交政策，与世界各国通力合作、协调发展，构建和平友好关系，从而赢得世界各国的尊重与信任，不受外辱，此番建国之策正是近代所谓之“振武”。

“励农”一语中的“农”指当时国家最大的产业——农业，而在现代，就是指整个产业。振兴产业是政治的重要职责，无一时代例外。

领导者应展示国家之大计

正如十一世纪中国北宋大诗人、苏轼之父、大学者苏洵一语所道破的："夫国以一人兴，以一人亡。"人类的历史也是领导者书写的历史，正因如此，我们才要向国家当权者要求，明确国家的前进方向以示国民。

【遗训第八则】

广采各国制度以进开明，先知吾国之本体，振风教，后徐酌彼之长。否则任仿效，国体衰颓，风教萎靡，匡然无救，终为彼制。

【释义】

若想广泛采纳世界各国的制度之长，以达到文明开化的目的，首先必须明了本国的真实情况，致力于风俗教化的振兴，之后逐步吸取外国之所长。否则，一味追随外国，只知效仿，必定国体渐衰，风俗教化式微，挽救无望，最终为外国所控制，危害国家。

有一事，不仅国之宰相，我们人人责无旁贷，那就是“了解日本”。了解自己的国家如何构成，我们的祖先在何种生存状态下创立国家并维系至今，其间又曾经历过怎样的是非功过、兴衰荣辱。

如今的学校课堂上，对本国的认知教育尚缺力度。生活在这全球化的时代中，倘若不扎根于本土，日本人将成为世界的“无根之浮萍”。

日本这一国家如何构成，尤其近代之后日本在世界上占据怎样的一席之地，这些在学校中都应当完整系统地进行教育。在此基础上，还必须认真思索，从今往后日本应当踏上怎样的一条道路。

而现状却是，避而不谈这些最根本的议题，却高谈阔论“改革”二字，而“改革”也往往雷声大雨点小。如果本国的立国之策尚未明确，与世界各国交往时又怎能应付裕如？

西乡曾冷静而敏锐地洞悉了西洋文明的本质。

【遗训第十一则】

文明，赞道理遍行之语也，非言宫室之庄严、衣服之美丽、外观之浮华。闻世人所倡，何为文明、何为野蛮，全然不解。予尝与人论，曰：“西洋野蛮。”彼以“否！文明也”争。予连驳之：“非也，非也，野蛮矣。”彼惑：“何言至此？”答曰：“倘西洋实文明，对未开化之国本慈爱、恳说谕、启其开明。然非如此，对未开蒙昧之国行极残忍之事以利己，此乃野蛮也。”其人笑曰：“闭口无言矣。”

【释义】

文明一语是赞颂推广合乎道理之事，绝不是指宫殿恢宏、衣着华美或外观浮华。听世人的言论，全然不懂何为文明、何为野蛮（未开化）。我曾经与某人就此进行过一番争论——我认为西洋野蛮，而对方却争辩道："不，西洋是文明之地。"我连连以野蛮驳斥他，对方疑惑不解："为何如此断言？"我答道："若西洋果真文明，对未开化之国就应秉持仁慈之心谆谆教导，引导其文明开化。而现实并非如此，对未开化、知识贫乏、不明事理之国做出极端残忍之事，以图自身利益，这显然是野蛮之举。"听闻此言，对方笑道："不愧是西乡，我真是无言以对啊。"

西乡给"文明"一语赋予了理想社会的意味——具备优良的制度、道德和道理。当年，美国海军准将佩里率黑船驶入日本浦贺海面，以武力迫使日本开国。其后，欧美先进文化滚滚涌入。同时，基督教的传教士也率先来到日本。在当时的日本人眼中，披着博爱精神外衣的西方文化恐怕是光辉夺目之物吧。

然而，欧美列强间争夺霸权，以武力胁迫、征服未开化之国。这段历史也没有逃过西乡的目光。

当然，这并非盲目认为西洋十恶不赦。其法律制度、教育系统等先进、优秀之处应当坦然认同，并持正确的判断力取其长处，只是对西洋之物不可毫无原则地全盘皆收。

【遗训第十二则】

西洋刑法，主惩戒、戒苛酷，重引人向善。故狱中罪人亦从宽，与鉴戒之书，因事许见亲族朋友。原圣人设刑，以忠孝仁爱之心怜鳏寡孤独，恤人之陷罪，用心良苦。实果如今之西洋般周全否，书籍未见载录。实感此乃文明也。

【释义】

西洋刑法主要以惩戒为根本精神，避免苛酷对待，注重将人引导向善。所以即便被逮捕入狱的犯人也从宽相待，给予讲述训诫实例的书籍，根据具体情况有时也允许与亲友见面。原本昔日圣人设下刑罚，目的是以忠孝、仁爱之心怜悯世上无所依靠之人，深恐他们陷于罪孽之中。真可谓用心良苦。而当初的实际情形是否确如今日西洋制度一般周全，书籍中并无记载，无从知晓。这一点让人真切地感受到西洋确实文明。

当时日本的监狱对待犯人仅知体罚，令其煎熬，而全无教育、训诫以使其改过自新之意。自然，西欧也有酷刑，但制度与理念较之日本先进甚多。西乡自己曾有过流放荒岛的遭遇，在阐述此则训言时，那段牢狱中悲惨生活经历的记忆或许也掠过他的脑海。

然而，当时明治政府中的官僚衙役并无此种博爱精神，反而是违背人道的事情司空见惯。目睹执政者这种姿态，西乡十分担忧国家的存亡。

【遗训第十六则】

失节义廉耻绝无持国之道，西洋各国亦然。位于上者对下争利忘义，下皆仿之，人心忽趋财利，卑吝之情日长，失节义廉耻之志操，父子兄弟之间亦争钱财，至反目也。长此以往，何以持国？德川氏灭将士之猛心以治世，然今较昔战国猛士犹勇之心若不奋起，与万国对峙不得也。普法之战，法拥兵三十万、粮三月然终降伏。人笑曰，算盘过精之故也。

【释义】

倘若丧失节义（坚定的道义、节操）、廉耻（廉洁知耻）之心，那么国家将难以维系。即便西洋各国也不例外。位于上之领导者对下只知争夺一己之利，忘却正道。继而，下属竞相仿效，人人皆为财欲奔忙，卑劣吝啬之心日益蔓延，节义廉耻之操守尽失，父子兄弟间也为争夺财产而反目成仇。长此以往，国家何以维持？德川氏抑制将士的勇猛之心来治世，然而，如今应当更胜于战国时的勇将，激发勇猛之精神，才能与世界各国相抗衡。普法战争时，法国坐拥三十万的兵力与三个月的军粮仍不敌对手，以投降告终。人们耻笑道，这是金钱财物的如意算盘过于精明所导致。

摧毁江户幕府所构建的封建社会，断然实行废藩置县，创立中央集权的新兴国家，这是当务之急。至此，长久延续的士农工商身份等级制度崩溃，武士们失去原职，四民平等的理念逐渐深入人心。原本的武士阶层也有成为商人或农民之例，也有曾经的藩主因误判时代之趋势而财产皆失，从而落魄潦倒。

极度混乱的情势下，社会各阶层人等私心私欲毕现，为利益明争暗斗。那个时代，人心尽失节义廉耻，这番世态与现代社会何其相似！

当今世界也同明治维新时相仿。我强烈地感受到，时代的脉搏正震颤出强音，酝酿着一场翻天覆地的巨大变革。所以，即便暂停前行的脚步，也应彻底探讨国家之大计。

以个人之见，日本应当利用已经相当雄厚的经济实力，对别的国家以“德”相报。换言之，就是以“富国有德”为国家目标。

明治时代以来持续不断的国际竞争的较量中，今后日本不应定位于以军事或经济实力占据世界前列。在全球化的时代中，如今已成为世界第二经济大国的日本必须认真思考如何与世界其他民族协调合作，担负起世界和平的部分重担。我认为这个时代已经到来。

这是因为，人类面临着地球资源有限、环境污染严重等严峻课题，而日本即便在发达国家行列中也属富裕程度领先的国家。如果依然把进一步的经济成长定为发展目标，是否已有失妥当?

不言而喻，若不与他国共同合作、协调发展，仅为狭小岛国的日本是无法生存的。

环顾世界，仍有诸多国家为脱贫致富而将经济增长作为国家发展的首要目标。随着这些国家的经济发展其所消耗的能源、资源正以巨额数量增长，而伴随经济增长而来的环境污染也将日趋严重。思考至此，论断昭然：已先一步富裕的日本应做的不是甩开追赶而来的发展中国家，不是追求日本一国独善的经济增长至上主义。

日本今后寻求的不正是释迦牟尼所言“知足”吗？当然，此语非指满足现有财产，安于现状，不思进取，裹足不前。

以经济为例，即便GDP总额未增，而常有新兴产业萌芽、古旧产业衰退，实行新陈代谢。即使经济总额不扩大，但其健康与活力却不可缺失。这种类型的经济社会才应作为发展的目标。

发挥这种可持续保持活力的经济能力，并且通过以“德”为本的国家政策，与世界各国通力合作、相互扶持、和谐共存。

同时，因实行这种以“德”为本的善良的国家政策，而为世界人民所尊敬、信任。建设这样的国家定会为日本带来非常美好的未来。

中国古代典籍《易经》中有“积善之家，必有余庆”一句，其意是积累善德之家，定有福报。日本如果作为一个国家致力于行善，那就会为解决各种外交悬案提供帮助，必将为日本带来恩惠。而一旦世界诸国对日本的看法改变，那么无论通商贸易的摩擦，与中、韩两国间的纠纷，甚至战后长期不见解决征兆的领土争端等与日本相关的诸多悬案也必将得以改善。

从这个意义上说，我认为以德为本来运行国家，才是日本最大的安全保障政策。

第六章　觉　悟

舍弃私心、远离私欲是领导者的绝对条件

国家公务员是公民的公仆

太平盛世只能由“人”为之

“不惜命、不图名，亦不为官位、钱财之人”

【遗训第三十则】

不惜命、不图名，亦不为官位、钱财之人，困于对也。然无困于对者共患难，国家大业不得成也。此般人物，凡俗之眼岂能看破。《孟子》所云“居天下之广居，立天下之正位，行天下之大道。得志与民由之，不得志独行其道。富贵不能淫，贫贱不能移，威武不能屈”者，今人仰否？答曰：“然也。非立于道之人，其心性不现也。”

【释义】

不惜生命，不图名誉，也不为官位与钱财之人，是很难对付的。然而，若非与此种难以对付的大人物共同分担忧患，则难成国家大业。一般人看来，这类人物实在深不可测。《孟子》有言：“居天下之广居，立天下之正位，行天下之大道；得志与民由之，不得志独行其道；富贵不能淫，贫贱不能移，威武不能屈。”（注释：居住在天下最大的居所里，站立于天下最正的位置中，行走在天下最广的大道上，若实现志向得到赏识，则与民众一同行其道，若未能实现志向未得任用，则独行其道。不为富贵所诱惑，不为贫贱所动摇，不为武力所屈服。）若问如今这仍是万人敬仰的人物（大丈夫）吗？答道：正是如此。非行正道之人难以呈现此种精神。

“不惜命、不图名，亦不为官位、钱财之人，困于对也”，读罢此句，深有感触，这正是西乡的本色之所在。西乡本为大公无私之人，全然将自身置之度外。大公无私，亦即不惜命、不图名、也不为官位、钱财——换言之，舍弃了私欲的人。

人一旦有了私欲，只一句“给你钱财”或“给你官位”，便可轻易收买。无私欲，则不为得失所动，因而极难对付。那么什么能打动不为私欲所动的人呢？唯有诚、仁、义。西乡说道，若不是这样的人，则不能共患难以完成国家大业。

我年轻的时候，非常喜欢“不惜命、不图名、亦不为官位、钱财之人”一句。虽然深知自己尚难达到如此境界，然而常在口中吟诵，作为对自己的鞭策与鼓励。

同时，我还期盼着与自己一同致力于新事业的人，那些应该真正值得信赖的同道中人，也能出现如此高尚的人物，然而，实际上，实在很难邂逅这样的人物。

那是京瓷初创不久，一位中年人转入我们公司。京瓷当时还处在小企业阶段，我便经常对他讲述今后的理想：“虽然现在辛苦你做这些肮脏单调的工作，但我胸怀理想，我想把精密陶瓷做成日本产业界不可或缺的材料，为此需要出色的加工技术。这就是请你前来的目的。”

此人也万分感慨，说道：“这非常了不起，我们同心协力干吧！”而一起聚会喝酒时，他也总将下面的话挂在嘴边："为了社长我命不足惜。哪怕让我去死，都可以随时遵从。"较我年长五岁的长者说出这样决绝的话，我想他定是一位可靠的、可以指望的人物。不料，此人不知何故，就那么轻易地离职而去了。

看来不过口是心非而已，并非真心。我这么想时，转而再读遗训的这一节，"凡俗之眼岂能看破"，我为自己的凡夫肉眼而汗颜。

遗训第一则中西乡曾一针见血地指出：

"立庙堂为大政，乃行天道，不可些许挟私。"

舍弃私心，远离私欲，即大公无私，对执国政者及其他位于人上的领导者而言，乃是绝对条件，西乡已一语道破。但我认为这遗训第三十条又给予了最终的、最具体的解释。

反观当今政界，生命、名誉、财产，什么都肯舍弃的"难对付的人"，即具备"无私精神"的政治家究竟有几人呢？肯为政治做出牺牲，结果丧失财产、只剩孤井单墙的所谓"井墙政治家"在哪里还能找到呢？

人口减少、社会老龄化及随之而来的退休金、医疗保险制度的危机，青少年学习能力低下、恶性犯罪率上升等政治难题堆积如山。当前局面，不是权宜之计即可敷衍了事，急需高瞻远瞩的根本性的施政方针。这时，若无西乡般富有无私精神的领导者挺身而出，那下面这个时代，日本将无法继续生存下去。

掠夺创造财富的国民，实乃本末倒置

日本财政如今破绽百出，濒临崩溃之危机。包括地方政府在内的“国家借债”已超过 1000 兆日元，并且仍在不断增加。可以说，如果延续这种状况，便无未来可言。若不认真着手改革，不久的将来，这个国家终将无可救药。

西乡的下面这则遗训，值得致力于重建财政的各位细读并回味。

【遗训第十四则】

会计出纳为制度之所倚，百般事业皆由此生，成经纶中枢要，不可不慎也。大体言之，量入为出，别无他法。一岁之入定百限，统理会计者以身守制，不可超限。否则制于时势，先出缓限以量入者，无他，榨民之膏血也。纵事业一时进步，国力疲敝无可救矣。

【释义】

国家的会计出纳（金钱的收支）工作是全部制度的根本，各项事业均由此而成立，也是治国之要，必须慎之又慎。会计出纳的大致方法为量入为出，将一年的收入定为所有事业之限度，除此之外别无他法。管理会计者应全力以赴遵循守护此规定，不得超过核定的预算。否则，任随时代之势，限度置后，支出优先，以此来衡量收入，最后必定只能对国民课以重税。如真如此，那么即便事业看似暂时取得进展，今后国力必将渐衰，最终回天乏术。

西乡道，会计者，量入为出，别无他法。此理本不言而喻，如今却无人认同，而这恰成为当下日本国家财政问题的元凶。现在必须依西乡之言而行，大声疾呼重整国家会计，还其作为国家管理中枢的应有之态。

时下的国家会计，与各民间企业的会计迥异。国家的财政为单年度决算，即不认可滚存金，所有入账必须全部支出。这是一种非常荒唐的会计制度。

近些年，国家财政开始制作借贷对照表，但究竟所得几何、所有几何，仍为一笔糊涂账。并且，对于国家的财政状况，财务省不向国民公示，不让国民知道所有的数据。与此相反，民间企业，哪怕营业额几十万亿日元的大企业，却事无巨细每笔经费皆须公之于众。

官僚与政治家们定会反驳道："国家管理涉及社会福利与国防事务等重大事业，与企业经营同日而语岂非怪哉？"然而，且慢。社会福利也好，国防事务也罢，倘若支出与收入不符，那必遭挫败。事实上退休金制度不就已经濒临崩溃了吗？

国家一再增税的政策已成众矢之的。日本急速步入少子高龄化社会，随之维持社会保障的费用大幅增加，何以应对？而明治时代的西乡对税制又有何高见呢？

【遗训第十三则】

薄租税以裕民，即养国力也。故纵国事繁杂苦财用之不足，确守租税定制，损上而不虐下也。试观古今之事，道不明之世，苦财用不足之时，必用曲知小慧之俗吏，巧聚敛，以解一时之欠乏，俨然擅理财之良臣，以手段苛酷虐民，人民不堪其苦，欲避聚敛，自趋谲诈狡猾。上下互欺，官民敌仇，终至分崩离析乎。

【释义】

减少税负以富裕国民，这才是培养国力。所以，即便国家事务繁多，苦于财政不足，也应严守税收制度的规定，上级阶层承受损失而不可虐待下层民众。试观古往今来的历史。在道理未被明确贯彻的社会中，国家为财政所苦时，必会利用行为偏执、会耍小聪明的下层官吏，以恶劣狠毒之手段征收赋税，以填补一时的财政不足，而且还夸奖他们是擅长财政的好官。这类小官玩弄手腕，残酷虐待国民，人们不堪重负试图逃避这些不当之税，自然开始挖空心思编造谎言，人性也随之变得狡诈阴险，上层下层互相欺骗，官吏与国民水火不容，最终将导致国家分崩离析。

国家于财政穷困之时，不免要加重税收以扭转财政。这不论哪个国家、哪个时代都是一贯做法。西乡道：“确守租税之定制。”税金不可上下变动无常。计算维持国家与地方政府活动的必要经费，从而定下税制，不能仅仅因为财政紧张而随意更改。

然而，往往一旦钱不够用，那些自作聪明的小官们便纷纷登场，随意改动税制，巧立名目，企图强行征税。如此光景下，国民自然不愿再规规矩矩地交纳税金，而开始欺瞒避税，国民与政府间愈发互不信任，事态严重不可收拾。

实际上，只要经营企业，便常有税务署的官员前来调查。为多收取一分税款，税务官员总在强词夺理。税务师以及注册会计师们常建议道：“税务官员来税务调查，千万别让他们空着手回去，一定得有所表示。”

恐怕很多人都有过这一经验。名为税务调查，但若没查出问题，分文未得，身为官员自觉有失颜面，于是为收取税款而吹毛求疵，鸡蛋里挑骨头。所以，需要花些心思琢磨如何让这些税务官员得些功劳。

地方税务署里，有部分税务官员无资格证书，他们的领导是一些三十岁刚出头的具有资格证书的人员。后者通过国家公务员考试进入作为中央官厅的财务省任职，之后来到地方就任税务署长。他们派遣与自己父亲同辈的五十多岁的税务官员前往企业收取税款。

换言之，掌握着日本征税实权的税务署长并不知晓大众生活的疾苦与辛酸，以及他们如何为了微薄之利而尽心竭力。

诚然，日本国家财政的现状确实问题重重。因而认为增税是必然趋势，那么能多收的企业就要多收，税务官抱着这么浅薄的想法。有的企业钻研创新，花尽心血和汗水，好不容易产生了利润。有人就提出，要从这种企业身上多征税、多搜刮。然而，这种做法无异于杀鸡取卵，以后鸡也没了，蛋也没了。

究竟何为国家财富？今日的日本政府背负巨额借债，而国有土地、国有林地皆属有限之产。不知各官厅的办公建筑价值几何，总而言之，政府所持财富实在微不足道。

原本，国家财富指我们国民所拥有的财富。增加国民的财富，从中以税收的形式征收上缴的那部分才用来充实国库。而苛待国民，榨取其财富，从而维持国家运行，实乃自我吞噬。

若岁入不足，增税的议论便嚣声四起。然而，正如西乡一语道破：“薄租税以裕民，即养国力也。”努力让国民富裕，国家才会真正富裕，这才是确立税制之基础。

西乡认为，甚至国防也应纳入会计之范畴，绝不可虚张声势。

【遗训第十五则】

常备兵数，亦由会计所限，绝不可张虚势。鼓士气练精兵，纵兵数寡，折冲御侮皆足也。

【释义】

常备兵数，即国防军事实力，也应在国家会计的限定中行事，绝不可扩张军备、虚张声势。倘若振奋鼓舞士气，训练优秀军队，那么即使兵员数量少，与外国交涉或抵御外辱时，也足以应对。

西乡说出此言时，俄罗斯正在南下，觊觎朝鲜半岛乃至日本。而美、英等欧美列强也都挟军舰前来，以武力胁迫日本通商。这种国际形势下，增强军备自然是当务之急。

当时，必须扩充现代兵器确保日本国防，资金不足哪怕借贷也要加强国防实力——这一舆论盛行时，向来主张敦本务实的西乡告诫道，上述言论或许不错，但增强军事实力还应在会计、财务、财政允许的范围之内。虚张声势扩张军备，反而会使国家产生混乱。即便兵员不多、军舰数量不足，然而只要培养精锐之师，就足以抵御世界强国的欺辱。

或许有人认为西乡心浮气盛才出此狂言。其实，西乡个性非常谨慎，处世极有分寸，并且细致入微，超出常人想象。

国家公务员是国民的公仆

【遗训第三十一则】

行道者，举天下毁无不满，天下誉亦不自满，缘自信厚之故也。其功夫，熟读韩文公《伯夷颂》可得。

【释义】

以行正道为生存准则的人，即便举国上下一致责难，他也绝不会有任何埋怨；举国上下齐声赞扬，他也绝不会自鸣得意。能做到这一点，缘于对自己深信不疑。成为这种人物的方法在于熟读韩文公（即韩愈，唐朝文学家）的《伯夷颂》（赞颂伯夷、叔齐为守节操终而饿死的一篇文章）并严格按此实行。

西乡论道，循正道的执政者，即便为国民所非难抑或为众人交口称赞，也不应有一时的喜或忧。而应彻底认清自己所信奉的道义，一心为国民，正确执政。

换言之，各级政府官员作为国民的公仆，必须坚持克己奉公，一心为民奉献。

官员，即国家公务员，究竟为谁而工作？答案是，国家公务员是大众的公仆，做事应为民众所想，确保国民生活富裕、安居乐业。这才是公务员的本职。

然而，日本的社会中，历史残留的“朝廷意识”依然未泯，行政官员“为国工作”的想法根深蒂固，为了国家牺牲国民利益似乎天经地义。并且，他们误以为一旦成为公务员，便被赋予了管理国家的重任，可来统治国民。

其实，所谓国家公务员，并非国家的仆人，归根到底应该是国民的仆人。行政官员制定、修订并实施法案与制度，必须遵循“是否有利于国民”这一唯一原则开展工作。

中国历代王朝中，唐太宗统治时期是历史上最为平安鼎盛的时代，史称“贞观之治”（627—649年），唐太宗也被誉为中国历史上最伟大的明君。他与日本的圣德太子恰是同一时代。

《贞观政要》一书总结了唐太宗的政治思想，不仅在中国，在日本也作为政治典范，是执政者的必读之书，流传甚广。

《贞观政要》卷一即开宗明义：

“为君之道，必须先存百姓。”

国君，即统治国民的国家领导者，首先应对国民大众持仁慈之心，以他们为重。

书中接着论道：“若损百姓……而身毙。”

此言意为，如果执政者不关怀国民大众，甚至对其蔑视，使其受苦受难，其结果必定殃及执政者自身，不久必将垮台。

接下来，唐太宗谈及任用优秀人才为官吏的意义。

衣食出于百姓，此则人力已奉于上，而上恩未被于下，今所以择贤才者，盖为求安百姓也。

我们的衣食来自国民大众的生产劳动，这是国民对执政者之贡献。然而，我们执政者给予国民的恩惠还十分欠缺。所以，在国民中选拔优秀人才任用为官吏，是使国民安居乐业之举。

真不愧为至理名言。正因为唐太宗深明此理，才能为中国带来历史上少有的太平盛世。

同时，书中也记载着太宗之言：“卿等特须灭私徇公，坚守直道。”

太宗告诫下臣，高级官僚应当消除利己之私心，为社会尽忠职守，贯彻正道。

“思国之安者，必积其德义。”

若期望国泰民安，首先执政者自身必须积累德义，提高修为。这是魏征所语。魏征为唐太宗身侧之贤臣，常向太宗进谏。

换言之，魏征作为下臣，向君主进言道，行政官员为使国民安居乐业，不仅依靠行政手腕。行政官员个人也须积累德义，努力提高精神境界，以高风亮节获国民信任，受众人敬仰。如此看来，治国之事实在难矣。

综上所述，太平盛世，只能由“人”为之，以人之思想实现之。

第七章　王　道

正道，即作为人，什么是对天无愧的正确的道路

外交往来也须依循正道

各国邦交中的“德”

依循正道、鼓足勇气进行外交往来

时下，超级大国美国在伊拉克战场上严重受挫，世界局势风云变幻，而新的世界秩序也尚在摸索之中。这种国际环境下，是时候需要我们自身深入思索——日本应当如何面对世界各国，又应当向世界各国展示怎样的日本。

国家的内政外交，其根本为依循正道。倘若处心积虑，使用谋略来贬损对手，对方必定以其人之道还治其人之身。倚仗实力强行推行自己的价值观，不得人心；而察言观色、迎合对方、投其所好，也难得信任。国家外交也不例外。态度毅然坚决，不卑不亢，行正道，才能构筑真正的信任关系。

西乡所谓“正道”，其含义是：不是对我们国家，什么是正确的；也不是对我们自己个人，什么是正确的；而是作为人，什么是正确的，才是对天无愧的正确的道路。

【遗训第十七则】

行正道，以国毙之精神，方可与外国交际。畏彼之强大，主圆滑，曲从彼意，则招轻侮，欲亲反裂，终受彼之制矣。

【释义】

依循正道，即使赌上国家前途也在所不惜。倘若无此精神，则难以顺利与外国往来交涉。畏惧外国的强大而瑟缩不前，圆滑行事，曲意逢迎，忍受屈辱，以图亲善。最终反会导致关系决裂，从而受到外国的压制。

西乡认为，外交往来也须依循正道、天道，鼓足勇气与对方交涉。即使冒战争的危险，哪怕国家垮台，也必须推行正道，不可因恐惧而屈节。纵然外国蛮横无理，也应始终坚持道义，勇于表达自己的主张。

然而现实中，政治家、官僚们一旦遇事即以“国家利益”为挡箭牌，口口声声为守护国家利益，暗地里却玩弄权谋。而他们所谓的“国家利益”实质不过是“国家面子”而已。维持一国之体面，故不能为外国所侮辱。于我看来，这论断实在荒谬至极。

日本人应该从这种无意义的“国家利益第一”的思维模式中超脱出来，从第二次世界大战后60年内形成的、固定的价值观——包括维持称冠世界的经济大国的地位——中解脱出来，重新思索正确的国家形象以及外交方式。

遣韩使节论——对西乡真实意图的误解

【遗训第十八则】

谈及国事，慨然曰："当国凌辱，纵令国毙，践正道、尽其义，乃政府之本务也。"然听闻平日议金谷理财之事，何等英雄豪杰。临流血之事，头集一处，唯谋目前之苟安。恐战字，堕政府之本务，可谓商法支配所，非政府也。

【释义】

一旦论及国事，便慨然长叹："国家若受外国之辱，纵然整个国家有灭顶之灾也要坚持行正道、尽道义，此谓政府之责任。"然而，听到平日里议论金钱、粮食以及财政之事，不由得叹服他们颇具英雄豪杰之气概。然而，临流血之事却聚众商议，只图眼前苟且安稳。畏惧“战”字，推卸政府本来的职责。那便沦为商法管理局，形同商界头目，不能说是一国的政府。

江户幕府时代，朝鲜使节团曾定期访问日本，两国为亲善之交。然而，至明治政府，日本沉迷于西洋文化，遭朝鲜政府蔑视。日本汲取东方文化之长，具备儒教与佛教的深厚底蕴，也曾以此卓越文明为荣。而今崇洋之风盛行，全社会皆以着西服为时髦，在鹿鸣馆举办交际舞会，其精神根基也全盘西化，向西洋文化俯首称臣。

因此，日本政府就通商问题向朝鲜派遣使节团时，朝鲜方面拒绝交涉。日本政府感觉受到侮辱，外交颜面尽失，怒不可遏。日本国内也舆论四起，认为朝鲜竟如此无礼，纷纷提议派军舰遣士兵前去强行谈判。这时，西乡挺身而出，道：“吾前去！”

西乡阐述了自己的立场：“然吾不率士兵，不乘军舰，只身一人不持寸铁前往，踏正道而行，以正朝鲜政府。

言其无礼之怪，令其知晓己之非。如此，定能领会尔。”

然而，政府内部却对西乡准备赤手空拳前往朝鲜，纷纷提出反对的意见。

“如此前往定会为他们所杀。仅靠秉持正义，对方肯定不接受。还须率军前往，乘军舰振国威以交涉。”

“此乃威吓也。结果必引发战争，那事端大矣。战争非目的也。吾一人前往。”

“倘被杀该如何是好？”

“死也在所不惜。朝鲜杀吾乃无礼之举，倘若如此即率兵宣战亦可。先率兵者乃挑衅也，必引发战争，战争实非本意。”

这一连串的问答正是遗训第十八则的背景。明治的元勋们议论国事大发豪言壮语，俨然英雄豪杰。然而，一听西乡说“被杀也义无反顾，希望只身赤手空拳前往朝鲜”，却战战兢兢，连声说道：“不可！不可！会有血光之灾也！”见此情景，西乡喟然而叹。

而其时西乡一番言论中，唯独“倘朝鲜杀吾即可开战”一句广为人知，被误解为“征韩论”，认为西乡力主征讨朝鲜。然而西乡本意绝非如此。

成为高素质的富裕之国，可得世界之尊敬

世界诸国人种、民族、历史与制度不同，立场、主张、意识形态各异，所以，处理与他国的外交关系自古以来便是难事一桩。各国皆言为本国国家利益，本应一致的意见也很难统一，而国家间为推行自己主张都据理力争，自然会引发冲突。试观近年来日本同中、韩的关系便可知，这一倾向实在堪忧。

然而，参差多态的世界中，各国也有相通之处。那就是正义、公正、公平、博爱、诚实等作为人最基本的价值观与道德律。

【遗训第九则】

忠孝仁爱教化之道，乃政事之本，亘万世通宇宙不易之要道也。道乃天地自然之物，纵西洋亦无别。

【释义】

忠孝（孝敬双亲，尽为人子之义务）、仁爱（以仁慈之心关爱他人）、教化（教育感化、引导向善）这三项道德为政治之根本，是万世不变、世界皆通的重要之道。所谓道，为天地自然之物，即便西洋也无二致。

治理国家的领导者，应将忠孝、仁爱、教化三者作为信条。若能如此，相互沟通、理解也就不难。行事立足于为人之根本，则国家间的纷争大多可迎刃而解。不讲究功利，不玩弄阴谋诡计，双方都立足于“作为人，应该怎样才对”这一点，真诚且直率地进行对话。我相信，即便在国与国的关系中，这理想也并非痴人说梦。

2004年，我曾在中国共产党培养干部的中央党校这一教育机构进行过一次演讲，题目是“给成长中的领导者”。

“十年、二十年之后，中国必将成长为令世界惊叹的经济大国。同时，也会具备强大的军事实力。在这种情势下，中国今后会选择怎样的道路，这是全世界都瞩目的大事，也是左右今后世界走向的关键。”然后我又说：“今后的中国作为世界屈指可数的大国，应秉持与大国地位相对应的关爱之心，与诸邻国谦虚、友好相处——大家都会这么要求。”我提出了上述希望，并以此结束了此次演讲。

此次演讲中，我也介绍了1924年11月28日中国革命之父孙中山先生在神户讲演会上的发言。

西洋的物质文明是科学的文明，后又演变成为武力的文明，并用来压迫亚洲。这就是中国自古以来所说的霸道文明。东洋有比它更为优秀的王道文化，王道文化的本质就是道德、仁义。你们日本民族在吸收欧美霸道文化的同时，也拥有亚洲王道文化的本质。今后日本面对世界文化的未来，究竟是充当西洋霸道的看门狗，还是成为东洋王道的捍卫者，取决于你们日本国民的认真思考和慎重选择。

我总结道："遗憾的是，日本后来朝着霸道一泻千里，最终迎来1945年的败局。希望中国务必始终沿着王道前进。"

那天傍晚，我与当时的中国国家副主席曾庆红进行了会谈。曾副主席读了我的演讲原文，并说已经转交给国家主席胡锦涛，并分发给了党内干部。接着，对我说：

"稻盛先生，我国决不会走霸权的道路，一定会遵循王道，所以请放心！"

我作为来自日本的一介企业经营者，对中国的国家方针提出意见，而曾副主席却不存芥蒂，满面春风，坚定地告诉我这一点。我与曾主席两手相握。这一瞬间我认识到：

"日本更应下遵循王道的决心。"

一般人都认为，所谓外交，是在国家间对立的利害关系之中，互相用尽权谋术数以争夺本国的利益。

然而，西乡却将“忠孝”、“仁爱”与“教化”三者，即人性中的“德”引入外交这个领域。依我看来，这是确凿无误的。人与人之间是否努力加深相互理解，其所导致的外交结果可能会有天壤之别。

西乡一生从未走出日本。然而，即便他曾亲眼见过西洋之景，信念也不会动摇。西乡本就不是见识了新鲜事物便轻易从根本上改变想法的浅薄之人。

西乡从做人应有的正确之道出发看待万事万物，绝不会轻易地随波逐流。

所以，对于滚滚涌入日本的欧美技术与文化，西乡能够以冷静的目光予以审视。

【遗训第十则】

启人智，即开爱国忠孝之心。报国勤家之道明，百般事业随进。或启耳目，架电信、铺铁道、造蒸汽装置器械，耸人耳目。然何故电信铁道不可缺乎？注目者无几。妄羡外国之盛大，不论利害得失，房屋构造及至玩物，一一仰外国，长奢侈之风，浪费财用。国力疲敝，人心流于浮薄，终无外乎日本国溃也。

【释义】

开启人的智慧即为开启爱国之心、忠孝之心。明了尽忠报国、勤力为家的为人之道，事业便会随之进步。或者开拓世间耳闻目睹之领域，为此架设电信、铺设铁路、制造蒸汽机械，以惊动人的耳目，然而为何非有电信、铁道不可？是人类生活不可或缺之物吗？这些问题无人在意，只一味艳羡外国的盛大之物，不探讨利害得失，从房屋构造到玩具制造一一仿效外国。不合身份、不成体统的奢侈之风盛行，浪费财物，从而国力衰弱，人心流于肤浅轻薄，结果必定是日本的衰亡。

现代社会中，美国型的大量生产、大量消费成了经济增长的前提。新物品一旦出现便纷纷购入以更换、抛弃旧物，这一切简直是一曲“消费是美德”的礼赞。用完就丢吧，浪费吧，若不扩大消费经济怎能增长？这个国家原本“慎华美、惜物什”的节俭美德恐怕早已抛至九霄云外了吧。

然而以不断的消费促进经济持续增长，这一旧模式亟须根本转变。日本经济今后不可能永远持续增长。考虑到地球环境的限制，经济增长本不可能永无止境。

现在的问题是：日本能否作为高素质的国家存在于世？在国家的经济实力方面，不久日本的GDP必将被中国超过，在经济规模方面无论怎样竞争也无济于事。不如与以中国为首的正在高速发展的诸多国家携手，共同思考如何对世界做出更多贡献。

在第五章中，我表达了建设“富国有德”的理想。而“富国有德”的国家形象可以用昔日的“富裕之家”来打比方。

昔日，地方上的村镇中，常有家族被誉为“慈善之家”、“富裕之家”。虽然并非富可敌国但也资产不菲，有列祖列宗传承的家史，家族成员教养甚佳，气度不凡，自有威严。更重要的是他们清心寡欲，不觊觎权势，会为贫穷人家的孩子缴纳学费，为众人尽心尽力，从而赢得尊重。

我认为，在世界之村里，日本正应成为这样的“富裕之家”。如此日本人才能赢得全世界的尊重与信任。依我之见，这才是日本所应遵循之“王道”。

第八章　真　心

才识与诚心合二为一时，万事皆可成

凭一颗纯粹而真挚的心便能打动人

持纯粹之心，做至诚之人

西乡认为，一颗至真至诚之心最为重要，并且他自己率先垂范，一生真挚、赤诚，贯彻始终。然而，江户向明治更替，这一巨大的时代转变中，世风日下，诚信尽失，目睹此情此景，西乡感慨万千，并为弟子们留下遗训一则。

我坚信西乡所说的道理至今依然灵验。即使在当今纷乱的社会情势之中，人也并非光靠利害得失及欲望就能驱动，只有一颗纯粹的心才是最强、最有感染力的。

【遗训第三十七则】

天下后世信仰悦服者，唯真诚二字。自古讨父仇之人不胜枚举，独曾我兄弟，迄今妇孺皆知，盖出类诚笃之故也。无诚而为世所誉，侥幸也。诚笃者，纵当下无人知，后世必有知己也。

【释义】

这个世界上，能世世代代为人所信仰、所心悦诚服之人，只因有一颗至诚之心。自古以来，为父报仇者不计其数，而其中唯有曾我兄弟的事迹妇孺皆知，这是因为他们的诚笃之心超越常人。若无真心实意却受世人赞誉，不过纯属侥幸。诚笃之人，即便当世无人知晓，后世也必有知己为其击节赞叹。

此段论述通达明理，不愧为西乡之言。西乡年轻时在萨摩藩就任的第一个职位是“郡方书役助”，这是个负责向农民收取年贡的差事。当时，苛捐杂税沉重，西乡亲眼目睹农民的疾苦，上书建议延缓征税。为民请命，这在等级制度森严的时代里，需要何等的勇气！

前面章节中也曾提道，西乡为帮助保皇派僧人月照逃避“安政大狱”的追捕，向萨摩藩藩主寻求保护而未得回应，醒悟之后最终与月照齐投锦江湾；其后西乡被流放荒岛备受煎熬，那时仍向岛上的孩童传授古代典籍；再后来，西乡作为政府军统帅与胜海舟直接谈判，江户城得以无血开城；降服自始至终不曾有归顺之意的佐幕派庄内藩时，同为武士的西乡表现出了宽宏大量、有礼有节之风度。

西乡这些行为方式的深处，蕴藏着他那颗至真至诚之心。他不用谋略，不费心机，仅凭一颗纯粹而真挚的心，便打动了很多人。

遗训中出现的“曾我兄弟”，现在似乎无人提及了，那这里就简单讲一讲他们的故事。

这是发生在镰仓时代的复仇故事。有一对年幼的兄弟，父亲因现伊豆地方的领地之争为人杀害，母亲再婚并改姓曾我。曾我兄弟俩生活艰辛，然而近二十年中，他们一刻也不曾忘记杀父之仇，最终复仇成功。

故事中，兄弟俩为了成功夜袭，点燃了父亲曾使用过的油纸伞当作火把。于是，昔日，在萨摩藩，作为教育子弟的一个传统，旧历五月廿八日，即曾我兄弟复仇成功的纪念日，人们举行祭典，点燃旧油纸伞，以颂扬其为父、为君主效忠之心。

我的孩提时代虽逢战争时期，但仍保留着这一习俗。曾我兄弟复仇成功纪念日那一天，学校放学后，孩童们齐聚进行鹿儿岛独有的本土教育的“学舍”中。

接着，人们在附近的甲突川制作台场，而孩子们则挨家挨户收集破旧的油纸伞，走着走着便已积攒了几十把。男孩子系大腰带，扎白色头巾，女孩子着红色披肩。日落时分，将堆积的油纸伞点燃。

人们围绕熊熊烈火转圈歌唱：“话说曾我兄弟哟……”甲突川沿岸火焰连绵不绝，似乎将夜空点燃。这一光景如梦如幻，美不胜收。这也是鹿儿岛独特的夏日风情。

复仇的是非暂且不论，但人的真心能为人们传颂千百年，它具备感动人的力量。而仅凭知识或才能却很难引起他人的共鸣。一个人如果不为金钱、名誉、权力欲所驱动，而是被真心所激励时，他就能发挥出最大的力量，克服任何困难，一往无前。

【遗训第三十九则】

今之人以为，才识具则事业随心成。然任才为事，其危可见矣。有体方行用。今已不见如肥后长冈先生之君子，予叹息，遂书古语以授：

夫天下非诚不动，非才不治。诚之至者，其动也速。才之周者，其治也广。才与诚合，然后事可成。

【释义】

今世之人误以为，只要具备才能与知识则诸般事业皆可随心愿达成，然而矜才使气会导致危机四伏。有坚定之诚心行事方能成功。我扼腕叹息，当今如同肥后的长冈先生（长冈是容监物，肥后藩家老，1813—1859）般的杰出之人已难觅其踪，只能记录下古人之言以授众人：

夫天下非诚不动，非才不治。诚之至者，其动也速。才之周者，其治也广。才与诚合，然后事成。

（注释：世间之事唯至诚之心方能实现；唯才学、见识方能治理国家。精诚所至者，行事迅速；才高识远者，其治理范围也广。才识与诚心合二为一时，万事皆可成。）

西乡遗训中所谓“今之人”，我认为连生活在21世纪初的我们也包含在其中。

当然，西乡并非认为掌握知识、锻炼能力有何不妥。只不过，倘唯才识是论，而无赤诚之心，便不会一帆风顺。然而，人们往往只一心追求才识。

近年来，很多年轻的企业管理者犹如彗星般耀眼地滑过人们的视野。正像IT相关风险企业所象征的那样，他们发挥聪明才智创业，仅数年便实现公司上市，数十亿、上百亿日元的增益资金收入囊中，一时成为时代的宠儿。然而，此后却因舞弊丑闻而自风光舞台上消失。这样的人不绝于后。

终究，仅凭才识成功难以长久持续。如前所述，事业缺乏诚心，就会变成不通血脉的冰冷之物。这样的事业很难得到员工、贸易伙伴以及全社会的认同与协助。而且缺乏诚心的经营者只会一味耍花招玩弄小聪明，不久必会误入歧途，来之不易的成功也将毁于一旦。

西乡为他们敲响了警钟。

【遗训第三十五则】

笼络人暗谋事者，纵成其事，慧眼见之则丑态立现哉。以公平至诚推人，不公平则绝难揽英雄之心也。

【释义】

欺瞒蒙蔽他人，暗中图谋不轨的人，即便诡计成功，也会被明眼人识破，其丑态无所遁形。对人应当秉公平、持诚心，否则便不得人心，绝不会得到杰出人才的帮助。

西乡是正人君子，所以在遗训第七则中论述道："事无大小，踏正道推至诚。"依循正道这一理念，对于西乡而言早已融入日常生活，不但常说，且付诸实践。西乡所说"丑态无所遁形"，意即谎话连篇，诡计多端，那么最终将无功而返。此言在现代社会也是真理。

然而事实上，一旦面临困难局面，人们便习惯于运用策略以求事成，甚至还有很多人认为不玩弄些计谋事情就无法顺利。然而，西乡却断定，毋庸置疑，玩小聪明，耍小花招，诸事必败。

此言极是。回想近来频发的企业丑闻，其由头必定存在着某种“谎言”。做假账、掩盖产品缺陷，甚至虚假食品保质期标签等等，为了遮蔽“谎言”，只得玩弄诡计。

然而，内部告发或其他原因，最终事情败露。在记者招待会上追究责任时，经营者总是闪烁其词，却接二连三地露出马脚来，连“谎言”、“计谋”也大白于天下，受到社会严厉制裁，相关人等甚至会受到刑事处罚。

一些历史悠久的大牌企业集团因此倒闭。最初，经营层为了守护老企业的招牌而撒了一个小谎，导致事态严重时，连会计事务所也卷入其中。这些成为有组织预谋的做假账行为，大玩阴谋诡计，以至让企业分崩离析。

正如西乡所言，倘若一开始便依循正道，或者误入歧途后迷途知返，重新推行至诚，自我修正，也不会沦落至此，将企业存亡悬于一线之间。

“依循正道”为何做不到？因为将正道贯彻始终不容易，需要有足够的勇气。

行正道，就是不搞歪门邪道，凡事依理而行，这样不免需要说服许多人，不胜其烦。而意识到自己已误入歧途打算扭转回正道时，也必须低头认错。与此相反，玩弄诡计似乎轻而易举便可蒙混过关。

此言差矣。因此从长远目光看来，依循正道方为捷径。之所以这么说，是因为这样不需要费尽心思东遮西掩。而执著于自己的名誉、地位、财产，拼死守护，为此需要煞费苦心，用尽花招诡计，结果弄得自己焦头烂额。

另一方面，这些无聊透顶的花样压根不需要，如果这么想，那一切就变得简单且轻松了。

不过，为此必须“无私”、“忘我”。这谈何容易，需要极大的勇气。对于常人而言最难的“无私”二字，西乡终生笃行，真是古今稀有之人物。

有了“无私”之心，才能在人生中尽“真心”，推至诚。也正因如此，西乡生前为众人所倾慕，身后通过他的遗训，继续给后世指明方向。

第九章　信　念

只有人格才能掌控才智

没有任何人天性完美

人生·工作的结果＝思维方式×热情×能力

规章制度完善即可杜绝不当之行？非也

百年前西乡的谆谆教诲，听来竟如同亲自与生活在现代社会的我们促膝长谈，鲜活悦耳，句句切中要害。原因何在？秘诀在于西乡一贯所言正是“做人应有的理想形象”。下一则遗训告诉我们这一点有多么重要。

【遗训第二十则】

纵论制度方法，非其人难行乎。人有而后方法行，人乃第一至宝，己成其人之念甚紧要也。

【释义】

即便对制度与方法侃侃而谈，倘若谈论者自身非杰出之人，则很难顺利执行。有杰出之人，各种制度方法才能得以推行。人为第一至宝，而自己有心成为这种杰出之人，这一想法至关紧要。

前章中提及企业丑闻，本章就此继续深入思考。

企业丑闻频发，社会骚动不安，这其实并非日本独有的现象。2001—2002 年，美国安然（Enron）与世通（WorldCom）两家大型企业皆因舞弊行为而一夜倒闭，震惊世界。

此后，为了防止企业的不法行为，美国制定了《萨班斯－奥克斯利法案》（Sarbanes Oxley 法，简称 SOX 法，通称企业改革法），要求上市公司严格遵守。这部法案涉及领域极广，不厌其详，将企业活动的方方面面一一严格规定。在纽约证券交易所上市的京瓷公司自然也受其约束。法案实行，随之而来的是大量的事务工作，企业被迫增加了沉重负担。

这些的举措针对企业经营，试图以其规章制度约束企业的手脚，将企业的不法行为防患于未然。然而，这样真的能从根本上解决问题吗？我认为不然。其实防止企业不法行为的重要解决之道，尽在西乡“纵论制度方法，非其人难行乎”一句中。

不管制定什么规章制度，不管如何严令遵守，必然有人千方百计钻空子，不法行为不会根绝。依西乡之教导，问题的根本解决之道并不在规章制度，而应聚焦于人心。

《论语》有言：“道之以政，齐之以刑，民免而无耻（导之以政令，齐之以刑罚，百姓为求免罚而顺从，而不知其耻）。”其意为：“管理者认为，制定完善法律制度，对触犯者严惩不贷，惩罚条例完备则万事大吉。然而，国民毫无羞耻之心，就会想方设法逃避刑罚，法律形同虚设。”

所以，必须回归人性的原点，依循正道，各项事业才能顺利进展。

依我之拙见，为制止企业丑闻的不断发生，必须质问统率企业的领导者的资质，这是当下最为重要的。领导者率先垂范，提升并维持自己的人格，这才是解决当前企业经营危机的根本解决之道。

然而，一般人却认为，所谓企业领导者的资质，虽然涵盖了“人格”一项，但更为注重的却是领导者的才智与热忱。

事实上，综观当今的商界，无论是兴办风险企业大获成功的创业型经营者，还是在大企业中不断晋升、最终就任社长、促成企业再次腾飞的中兴功臣，他们都可谓才气焕发、才华横溢，为企业的开拓与发展倾注了非凡的热情。

他们都是成功的经营者，或者开发出崭新的技术，或者在市场营销、经营战略上独具匠心。并且他们激情四溢，不懈努力，引导事业的发展与壮大。对于他们所统率的企业，证券分析师与投资家都给予了极高评价，随之公司股价也大幅上涨。

然而，许多这样的新锐经营者及其统率的企业，如同流星般灿然登场，却转瞬即逝。静观他们，我产生一种强烈的感觉，就是只看人的才智和努力，这种评价人的方式实不可取。

自古便有“才子，恃才而败”之训。才智聪慧之人，以其非凡才能大获成功，却因恃才傲物，甚至聪明反被聪明误，最终导致失败。才智越发超群之人，越需要强大的力量来控制他的才智。

这就是“人格”。只有人格才能掌控才智。倘若人格扭曲，才智与热情偏离正道，其人所掌舵之企业必入歧途。

当然，绝大多数经营管理者深知人格之重要，然而对于“所谓人格究竟为何物？如何才能提升并维持人格”，却浑然不知。因此，一举成功却难以持久繁荣的经营者不绝其后。

何为“人格”？我认为人格由人与生俱来的性格和其后在人生道路上学得的哲学两者构成。换言之，先天的性格加上后天习得的哲学，形成了一个人的人格。

先天的性格人各有别。有人坚强，有人软弱；有人固执，有人谨慎；甚至有人自私自利，有人富有爱心……真可谓千差万别。倘若在今后的人生路途中未能领会精妙之哲学，那么一个人的性格就会原封不动地成为他的“人格”，而正是这“人格”决定了他的努力方向以及他才智发挥的方向。

如果这样，这个人的人生将会如何呢？如果他是一名领导者，生性自私却才干出众，并能付出不亚于任何人的努力，那么他也可能取得成功。然而，人格上的缺陷可能会招致员工的反感与对抗，也很难赢得贸易伙伴的帮助，甚至更可能因私心贪念而干起坏事，因此此人的成功终究难以持久。

甚为遗憾，没有任何人天性完美。正因如此，我们必须通过后天的学习，掌握优秀的哲学思想，努力提升人格。尤其对雇用众多员工、肩负重大社会责任的经营者，社会更是要求他们必须做出努力，最大限度地提升并维持其高尚的人格。

前文所谓“应学习并掌握优秀的哲学思想”，意即指明处世之道与思维方式的圣贤教诲，它们经历人类历史风雨的考验，长久传承，给予我们深切的感化。不过，需要注意的是，“知道”这些教诲和“实行”这些教诲大相径庭。

举例来说，基督教教义、佛教教义、希腊哲学，中国的孔孟之道，作为知识，大家可能都知道，然而，将这些教诲仅仅作为知识来理解，并没有什么价值。对于领导者而言，应当反复学习这些优秀的哲学思想，不仅用理性去理解，更重要的是在日常工作中努力去实践。

如此一来，性格中原有的缺点和弱点皆可得以修正，从而塑造出崭新的人格——第二人格。换言之，只有反复学习、并掌握优秀的哲学思想，把它融入自己的血肉，才能提升并维持高尚的人格。

然而，人们通常认为，正确的为人处世之道，学过一次便已足够了，无须反复学习。其实，这就如同运动员为了维持强壮体魄必须每日进行体能锻炼，若惰于心灵的梳理，转眼便会故态复萌。所以，须常以这些明示为人之道的哲学思想拷问自己的理性，不断努力提升并维持自己的人格。

同时，重要的是日日反躬自省，扪心自问，自己每一天的行为有无违反为人之道，有无违反已经学到的正确的哲学思想。如此，才能维持高尚的人格。

提升并维持人格，必须反反复复学习优秀的哲学思想，同时每日三省自身言行。这正是西乡所谓“人乃第一至宝，己成其人之念甚紧要也”。

人生方程式——心态、思维方式的重要性

为了让员工正确理解人的心态、思维方式在人生中的重要性，我想出了下面这个“人生方程式”。

人生·工作的结果 = 思维方式 × 热情 × 能力

这一简单方程式可以解释为：人生及其工作的结果，由“思维方式”、“热情”与“能力”三要素相乘而得——不是和，是乘积，所以不同的分值其结果会成倍数变化。

将方程式代入数值，能力与热情的范围从“0分”直至“100分”。例如，以优异的成绩毕业于出色的学校，那么此人的能力通常较为出众，假定为80分。然

而，此人自视甚高，不肯认真、努力工作。那么，“热情”仅能给30分。80分×30分结果为2400分。

另一方面，有人并非出身于一流大学，成绩也算不上优秀，能力大约为中等水平，设为60分。但为了弥补这些不足，此人付出了80分的努力。60分×80分结果为4800分，是资质优秀但懒散懈怠之人的2倍。这就是人生方程式显示出的人生或工作的结果。因此，我相信“付出不亚于任何人的努力”至关重要，并把这一条作为自己的信念。

而方程式中最为重要的是思维方式。所谓思维方式，是人的人生姿态，或称哲学、思想、理念、信念或者人之志向、心思等等。按本章前一节的观点，“人格”由思维方式决定。

需要特别留意的是，在我的方程式里，思维方式的分值范围是-100分~100分。换言之，因为方程式为乘法运算，所以不论才能何等出众，也无论付出多大的努力，倘若思维方式出现偏差，那么人生或工作的结果就是一个很大的负值。

何为正面的思维方式？列举一些我所能想到的词

语来形容：积极向上，具有建设性、协调性，性格开朗，对事物持肯定态度，充满善意，有同情心，与人为善，认真，正直，勤奋，无私，能抑制自己的欲望，懂得知足，满怀感恩之心。

而负面的思维方式正与此相反。态度消极、否定、缺乏协调性；阴郁、充满恶意、心术不正、想陷害他人；不认真、爱撒谎、傲慢、懒惰；自私、贪心、爱发牢骚；憎恨别人、妒忌别人。

思维方式是正面还是负面，心态是好还是坏，以及不同的心态所导致的人生与工作的结果大相径庭。西乡所谓“非其人难行乎”正是此意。

不论哪个领域，不论怎样的时代，能力出众且热情高涨之人数不胜数。然而，秉持一颗善心、思维方式坦诚率真的人却并不多。西乡遗训再三强调人格，我将思维方式放在人生方程式三要素之首，都是因为持有正确的思维方式最为重要，也最为不易。

比如，我与中小企业的经营者交谈时，有人坦率地告诉我：“想当有钱人，想过富裕的生活！”

听了这话，我建议道：“既然想成为富人，那你就要抱着无论如何也要当富人的强烈愿望，然后付出不亚于任何人的努力。”

这就是人生方程式中的“热情”。

重要的是往下如何行动。秉持热情，磨砺能力，拼命努力，结果成了富人。然而，倘若此人的思维仅停留在“想当有钱人，想过富裕的生活”，而对他人却无善心，亦不会谦以待人，那不久就会碰壁，遭遇厄运。而反之，向着目标努力的过程中，不断提升理念磨砺人格，或许能获得更大的成功。

回顾自己七十余年努力奋斗的人生过程，我深深体会到这就是真理。

1877 年，西南战争结束不久，福泽谕吉发表了拥护西乡的《丁丑公论》一文。文章结尾处写道：“西乡乃天下稀有之人物。日本狭，国法严，竟无容兄一人之所”，以此抨击当时的政府，同时由衷哀叹失去西乡这样一位旷世英雄。

西乡恢复名誉后，1901 年《丁丑公论》终于在报上发表，可惜福泽谕吉却在此文连载中途去世。

福泽谕吉晚年对庆应大学那些打算走出校门后以

雄心壮志进入实业界的学生说了下面这番话，描述了经济界人士之理想典范。

思想之深渊如哲学者，心术之高尚正直如元禄武士，加之小俗吏之才，再加之平民百姓之体，方可成实业界之大人物。

就是说，思想犹如哲学家般深邃，人格犹如赤穗浪士般高洁，再加上小官吏的刁滑聪明与农夫的强壮体魄，如此才能成为实业界的大人物。

这也正同前文中的“人生方程式”相吻合。对于人生而言，最重要的还是思维方式与心态，最终归于提升人格。西乡如是说。

【遗训第二十三则】

志学者，必宏大规模。然，唯此偏倚，或疏于修身，故须始终克己修身也。宏大规模以克己，男子者容人，非为人容，书古语以授：

恢宏其志气者，人之患，莫大乎自私自吝，安于卑俗而不以古人自期。

试问期古人何许意哉？尧舜为圭臬，孔夫子为师也。

【释义】

志于学问、学识之人，必定得扩大知识面。然而，仅仅偏重于此则会疏于修身，所以应该常克己修身，这点至关重要。扩大知识的规模、范围，同时不忘努力战胜自我，提升人格。所谓男子，应凡事有容乃大，而并非为他人所容。节录古人之训如下：

恢宏其志气者，人之患，莫大乎自私自吝，安于卑俗而不以古人自期。

（欲成事之气势盛者，最需防患未然的是自私自利之心，安于狭隘、低俗的生活。应以昔日之人为楷模，修身养性。）

若问以怎样的古人为楷模，告之，以尧舜（均为古代中国的杰出帝王）为楷模，以孔子（中国第一圣人）为老师，向其学习。

我一贯强调“企业经营取决于领导者的器量”。

无论你主观上怎么想把企业做大做好，但事实终归是，企业发展的水平，取决于经营者的品格，也就是经营者“器量”的大小。

比如说，企业小的时候经营很成功，但随着企业规模变大，经营者掌握不住经营之舵，导致公司破产倒闭。因为经营者没能随着企业规模扩大而拓展自己的“器量”。企业要发展壮大，经营者不仅要扩展知识和技能，更需要相应地扩展自己的“器量”，也就是说，经营者要有意识地做出努力，不断提升自己的品格、哲学理念和所谓“思考方式”。

我年轻时也不具备优秀经营者所需要的那种“器量”。年轻时，许多方面都不成熟，但我有点自知之明，我坚持天天努力，使自己有所进步，有所成长。

有一位经营者曾对我说过这样的话：“20 多年前，您回顾自己的前半生时说过，这半辈子的每一天就是‘不断提升理念的每一日’。”这位经营者说：“您说的不是提高经营技巧，而是说每天不断提升经营理念、哲学思想、思考方式，这一点让我深受感动。”

确实，从年轻时起，我就习惯在枕边放上几十本有关哲学和宗教的书籍，每晚临睡时都要翻阅几页，不管多晚回家，都要翻上一两页。因为从年轻时开始就这样度过自己的每一天，所以，或许不太谦虚，我把自己的前半生归纳为“不断提升理念的每一日”。

但是，很多经营者都这样拼命努力，比如“松下电器产业集团”的创业者松下幸之助先生，创立了“本田技研工业”的本田宗一郎先生也同样如此。

30多年前，“京瓷”顺利成长发展，开始考虑上市。当时“京瓷”还是一家中小企业，也许不太谦逊，我去拜会一家日本有代表性的大银行的总裁，希望聆听他的经营理念，以此来判断是否同其建立业务关系。

我谈到平时经常阅读松下幸之助先生的著作，非常尊敬他，自己也想拥有像他一样的人生观，像他一样工作、经营企业，说了许多自己的想法。

那位银行总裁年轻时便认识松下幸之助先生，所以我想他一定会附和我，不料他却说：“松下幸之助先生年轻时可任性呢，胡闹得厉害，哪像你这么少年老成。”话语中带着讥刺。

听了这话，我决定不跟这家银行开展业务。人在年轻时难免有很多缺点，关键是能否在实践中不断提升自己的人格。那位银行总裁对此不感兴趣，因为和他缺乏共同语言，所以我决定不跟他的银行做交易。

后来松下先生晚年时，我有幸获得了与他对谈的机会。名不虚传，他果然具备高尚的人格，富于真知灼见，不愧为举世罕见的经营者。我想，他定是倾其一生，不断努力扩展自己的“器量”。正因为如此，“松下电器产业”才能发展成为世界屈指可数的高科技企业。

本田宗一郎先生也是如此。本田宗一郎先生开始不过是一家汽车修理厂的老板，据说年轻时脾气非常暴躁。现场有人工作马虎，铁拳和扳手什么的马上就会飞过来。他本人公开说过：“工作就是为了享乐。”每天晚上招来艺伎，喝酒唱歌，喧闹不已。

本田宗一郎先生功成名遂，他晚年时，我有幸与他相会。那年我和本田宗一郎先生等几位经营者都被选为瑞典科学院的外国委员，应邀一起参加相关活动。

一个星期左右，我和本田先生等一同巡游瑞典各地，同吃同住，我切身感受到本田先生的高尚人格。他柔和谦虚，富有同情心，令人难以相信他年轻时的那些逸闻。我想，正是由于本田先生不断提升了自己的人格，才能把“本田技研工业”发展成世界顶级的汽车工厂。

对于经营者的人格与企业的业绩同时提升的现象，我用“提高心性，拓展经营”这句话来表述。这句话道出了经营的真髓。你想拓展经营吗？那么先决条件是，作为经营者，你必须提高自身的心性，提升自己的人格，能够做到这一点，企业业绩就会提高。

如果忽视这一点，不努力提升自己的人格，那么即使一时取得巨大成功的经营者，也难免没落的命运。经营成功，当初似乎很优秀的人，早则10年，晚则30年，往往开始走上衰退之路。这是因为，当初他们埋头工作，提高了人格，但在功成名就之后，疏于反省，没有继续努力去提高和维持自己的人格。

没有人一生下来就具备高尚的人格和卓越的见识，在人生的历程中，依靠自己坚强的意志和不懈努力，才能塑造高尚的人格。尤其是我们经营者，担负着很大的社会责任，因为我们雇用了众多员工，要对他们的生活负责。孜孜不倦，天天钻研，终生努力，不断提高自己的人格，这是经营者应尽的义务。

从知识到见识、从见识到胆识

【遗训第四十一则】

修身正己，具君子之体而不知应对者，同木偶人。譬若数十人客不意来访，纵令欲款待，事前无器具调度之备，唯担心，不得应也。平日有备，几多客来，皆从容应之。故平日之备甚为紧要，书古语以赐：

文非铅椠也，必有处事之才。武非剑楯也，必有料敌之智。才智之所在一焉而已。（宋·陈龙川《酌古论·序文》）

【释义】

修正自己的思想与言行，即便形同君子，遇事却不知如何应对，岂非与木偶人无异。这好比数十位不速之客忽然来访，即便意欲好好款待，但若平时未准备招待用具，那只得惴惴不安，不知该如何应对。平日应当备下招待用具，那么不论多少客人来访都能根据数量从容应对。所以，事前的准备重于一切。古语有云：

文非铅椠也，必有处事之才。武非剑楯也，必有料敌之智。才智之所在一焉而已。

（注释：学问并非仅为文笔之业，万事当前时必须具备灵活处理的才能；武道也并非善用剑楯之道，大敌当前时必须具备知己知彼、巧妙应对的智慧。如此，正是才能与智慧并重。）

西乡说道，我们称为“君子”的理想之人物，不论面对何种不测事态必能随机应变，灵活处理。

换言之，通过修身，见识出众，而将见解付诸实施时不论何种局面均能应付自如，为此需要万全的准备。西乡将此理比作招待数十位不速之客的来访。

从作为日本哲学大家广为人知的安冈正笃

（1898—1983）的著作中，我学到了有关“知识”、“见识”与“胆识”的教导。

为了生存，人必须掌握各种各样的知识。然而，仅仅知道这些知识几乎没有任何实际作用，必须将知识提升为“非如此不可”的坚定信念，即“见识”。然而，这还不够。更须由强烈的决心确保见识的贯彻实行，不为任何事所动，即升华为“胆识”。

而胆识，依我之见，只能来源于勇气。

若无排除万难、坚持到底的勇气，不论何种知识均无用武之地。即便深知此道，多数人却仍犹豫踌躇，原因正在于缺乏勇气。而为何他们难以鼓起勇气呢？这是因为过分在意“自我”。

在诸如“会不会被别人责难”，“会不会被别人讨厌”，这些以自我为重的想法下，人常会裹足不前。应当抛弃这些忧虑的情绪，“被当成傻瓜也好，遭蔑视也罢，都无关紧要”，那么，再多艰难险阻都可一一攻破，坚持到底。

常言道“读论语而不知论语”，凡人都聆听过先贤的教诲，也读过圣贤书。一谈起来便口口声声：“哦，那个当然知道！”然而，仅仅“知”还不够，应当提升为见识，更应鼓起真正的勇气，贯彻到底，否则便一事无成。

这一点，如同西乡在遗训第五则中所言“几历辛酸志始坚”。饱尝辛酸，克服重重困难，其思想才能升华为胆识与信念。

第十章 立志

道阻且长，甘之如饴

行正道忌圆滑

鼓足勇气，坚持正确之道

一切始于“思”

西乡遗训之中，最为严厉地斥责了心之软弱，舍弃了自我提升之“志”，尚未开始努力便自暴自弃。避难就易，以图轻松安逸——人性中的这种惰性，西乡训斥为“卑怯”。

【遗训第三十六则】

无欲成圣贤之志，见古人事迹，思难企及，较临阵脱逃尤卑怯也。朱子亦云，见白刃而逃者无救矣。诚读圣贤之书，身心体验其所为，是为修行，唯知其言其事，徒劳也。予闻今人论，何等至理，然难通所为，仅止口舌，无感佩之心。见真为之人，实折服也。空读圣贤之书，犹旁观人之剑术，全无领会。全无领会者，倘一交手，无他法，逃之夭夭也。

【释义】

不树立成为圣人贤士（品德完美、贤明睿智之人）的大志，知晓昔日古人的言行史实，心下认定自己无论如何无法企及，这一行为相较于临阵脱逃而言则更为卑怯。朱子曰，见刀光剑影便仓皇而逃者无可救药。虔心读圣贤之书，明了圣贤之士一生所作所为中所通行之精神，并以身心体验，以作为修身养性之法。否则，仅仅知晓圣贤们曾有过这般言论、那番事业，又有何益处？今日，听他人之议论，何等精辟入理，然而却无法将此言之精神贯彻于行动中，仅止于口舌之言，所以毫无钦佩之心。遇见真正身体力行之人确实心悦诚服，深感其为卓尔不群之才也。倘若对圣人贤士之书仅仅浮光掠影，恰如旁观他人表演剑术，自己丝毫不能领会。既然如此，那么一旦与他人比试，除逃之夭夭外别无他法。

如前章所述，学习先贤的远见卓识，钻研经营、技术，不论何等用功刻苦，若无修真悟道的强烈信念，高远志向和非凡勇气，则无法将之刻骨铭心并身体力行。一旦面临实际情况便无能为力。

通往目标的长路漫漫，遥遥无期，长久踯躅，茫然不知所措，叹道："自己终究力不从心啊！"于是，放弃继续前行。西乡斥责道，此乃惰性，乃逃避，乃卑怯者的懦弱行径。

万事皆始于"思"，始于强烈的愿望。"希望如此！""希望那样！"以强烈的愿望确定高目标。而这种强烈愿望必须持续，以至渗透至潜意识，日思夜想从不间断。只有在这样的强烈愿望的支持下，才能将先人的教诲完全运用于实践之中。

通往目标的路可能布满荆棘，坎坷不断。有人大约会迷惑不解，目标可望而不可即，如此辛劳，何苦呢？

然而，对于志坚之人而言，通往目标的那条长路永远不会从视野中消失。无论路途中遭遇多少次艰难险阻、挫折失败，都会重新站起，继续前行。反之，无志之人的视野中无路可走。

西乡生于幕末时期的萨摩藩，葬于萨摩藩，而我出生、成长于昭和时代的鹿儿岛。虽然时代各异，却同受故乡风土文化的熏陶，聆听过同样的先人的教诲。

那就是鹿儿岛自古流传的“岛津伊吕波之歌”四十七首，开头第一句就是：“圣贤之道，听了唱了却不做，于你如浮云。”

“听闻先人的教诲，背诵这些字句，然而倘若不将其运用于实践之中，则毫无意义。”

作为鹿儿岛特色传统教育的一环，萨摩藩的孩童必须背诵这四十七首歌，想必西乡幼年时也能倒背如流，而我孩提时代还仍保留着这一传统。年幼时大人们传授的为人之道西乡一生铭记，从未忘却。且如同歌中所道，常将此用于实践。这首歌的精髓已渗入遗训三十六则之中。

立志、行道，实非易事。然而，西乡视苦为乐，说道：“道阻且长，甘之如饴。”

行正道忌圆滑

【遗训第二十九则】

行道者，固逢困厄，立何等艰难之境，事之成否、身之死生，无关也。人者，事有擅否，物有成否，自然亦有心动摇之人。人行道，蹈道无擅否，亦无成否。故尽行道乐道，若逢艰难，凌之，愈行道乐道。予自壮年屡罹艰难，故今遇何事，皆不动摇，实乃幸也。

【释义】

依循正道之人总会遭遇各种艰难困苦，不论局面多么举步维艰，事情成败与否，自己生死与否，都不应有丝毫担心疑虑。人做事都有擅不擅长，都有力不能胜之时，更有人行事心怀不安、摇摆不定。然而无论如何，人都应当行正道，而此事无擅与不擅，更无能力有否之别。故而专于行正道、乐正道，若遭遇艰难险阻，力争超越，不问结果，淡然处之，并愈加乐于正道。我年轻时曾备尝艰辛，时至今日，无论遇到何事，都能坚定不移。这实在是幸事一桩。

正道，即做正确的事，依循正道者，总会遭遇艰难困苦。正因如此，西乡才告诫道，为行正道，不论面临怎样的艰难困局，不论成功还是失败，乃至自己的生死，都不应顾忌。

依循正道，亦即依循天道而行，换言之，就是不搞机会主义，不可为求自保而见风使舵，曲意逢迎，或者妥协让步。并且，也不可因心存怜悯或顾念情分而感情用事。例如，有人为亲兄弟前来恳求高抬贵手，而与自身信念相左之事则应当断然严词拒绝。

如此“冥顽不化”地贯彻正道，可能会被斥为“冷血”，常遭遇意想不到的困难。此时，有人开始怀疑疑虑，甚至动摇、担忧，选择这条正道，果真能顺利前行吗？最终能成功吗？

然而，西乡却认为："这种担忧没有必要。"岂止如此，选择自己认为正确的道路，不论事情结果如何，心甘情愿在这条道路上辛苦跋涉，不论面临多少次逆境，都甘之如饴。只有达到这样的至高境界，才可能锲而不舍、坚持到底。西乡断言道，若非如此，则难以依循正道而行。

然而，听闻此言，庄内藩的年轻人一时难以认同。西乡教导他们，自己断定为正确之事，则不论结果凶吉、成败，皆不因此而喜忧不定，或患得患失。只要依循正道，自得其乐，达此境界即可。而庄内藩的年轻人却面露难色。

于是，西乡以自己的亲身经历现身说法，循循善诱："我年轻时也曾屡遭磨难，与月照一同投江，三次流放荒岛，之后舍生忘死从军征战，可谓历经艰难，即便如此，也始终贯彻正道。艰难困苦，玉汝于成，如今我决不会心意摇摆，能够达观坦荡。"

此言让我不禁想起西乡的那句汉诗——"几历辛酸志始坚"，不正浓缩了西乡气壮山河的一生。

世间人多为骑墙派，眼中只见自己的利害得失。倘若在这众人皆醉的世道中，恪守原则，定会遭遇各种困难。然而，实行正道会遭遇困难不足为奇。正因如此，如果达不到以难为乐这样的的境界，就不可能将正道坚持到底。依循正道，必然棘手之事频发，辛苦坎坷不断，有人必定会退避三舍——不如骑墙派随波逐流活得自在，何必自讨苦吃？越觉得辛苦便越畏缩不前，西乡十分了解人性，深知其弱点。所以他特意告诫道，要甘于苦难，乐在其中，否则依循正道谈何容易！

而“事有擅否，物有成否”一句的原意是，原本依循、坚持正道一事本无“擅长与否”、“能力有无”之别，然而人们一旦遭遇困难，就会陷于方法论的谬误，以求更轻易的解决办法，于是开始找寻方便之道。所以西乡告诫道，决不可图谋此类轻巧之事。

这是因为，西乡深信“行正道，必得报”。而且，西乡认为，行正道才是“人生的王道”。再进一步讲，行正道是所有人的责职。我想西乡就是这么思考的。

凡人须行正道

【遗训第二十八则】

行道无尊卑贵贱之别。概言之，尧舜王天下，执万机政事，其职乃教师也。孔夫子自鲁国始，不为何方所用，屡逢困厄，匹夫而终，然三千徒皆行道也。

【释义】

行正道一事无身份尊卑贵贱之分别，凡人皆须依循正道。概而言之，中国的尧舜作为国之帝王，执掌国家政事，然而他们的本职却是老师。孔夫子自鲁国始便得不到任何国家的任用，几度遭遇艰难困苦，一生身份低微，然而遵循其教诲的弟子据说有三千人。

读罢这则遗训，仿若听到西乡喟叹——蹈行正道，并无身份贵贱之分，众人平等，皆须依循。倘若凡人都能依正道而行，那社会必会愈加丰富多彩。

在幕末的风云变幻中，仁人志士为开启明治这一新时代的帷幕而尽心竭力。最初，不仅西乡，众人都一致倡导蹈行正道，也曾依循正道行事。

然而，进入明治时代，他们在新政府中就任要职，态度却骤然一变。

日本迎来所谓鹿鸣馆时代，人们削去旧式发髻，身着华美的西方服饰，夜夜舞蹈笙歌至天明；住豪宅大院，竞相显耀荣华富贵，汲汲于飞黄腾达。

明治维新后，不过四五年，世态便已沦落至此。

热衷于“文明开化”的哗众取宠之流层出不穷，所谓“正道”似已成明日黄花。对于这种社会倾向，只有西乡一人果断地敲响了警钟——长此以往，国将不国。

而西乡的警示，在流于轻浮浅薄的现代社会，对于早已将“志”一词遗忘殆尽的人们，更如当头棒喝。

现代社会中，人们难以蹈行“正道”，其原因正在于已“不知正道为何物”。

所谓“正道”，非人类的小聪小慧，而是天道。具体说，便是为人处世的行为规范与基本道德——正义、公平、公正、诚实、谦虚、勇敢、努力、博爱，再加上西乡所说的“无私”等；亦可解释为幼年时父母老师训导何为对何为错、什么该做什么不该做的道德规范——要正直，不可撒谎，不可欺骗他人。这些质朴无华的教诲正是“正道”。

正道之理如此简单明了、天经地义，反倒被人们视如敝履，不屑遵循。而西乡所言之“蹈行正道”，正是为人处世时遵守这些基本的准则。

听罢此言，大多数人会哑然失笑：“所谓正道，竟然如此简单幼稚？”然而，有几人能完全遵守孩提时父母、老师的这些简单教导？回顾自己的人生与事业，是否未曾严守规范，却见风使舵，或随波逐流，斤斤计较于得失？

前几章中曾提及有些企业，从小小的谎言开始，以至分崩离析。而政治家和高级官僚，以至知事、市长，也有人因玩弄权术而遭严厉制裁。

当鼓足勇气坚持正确之道时，却有人畏缩不前，私心盘算："这种场合鼓足勇气据理力争，会于己不利吧！"于是曲意逢迎；或者周围有人示意开导："你过于古板严厉，大家都跟着受苦，何必呢？不如融通理解，灵活应对。"从而舍弃信念，屈节妥协。

这正是现代社会各类弊病的症结之所在。为了社会更加美好的未来，我们每个人都应重新审视"依循正道"的重要性，将此铭刻于心、身体力行。确立这种基本的道德伦理观念比严守律法更为重要。

第十一章　精　进

生命不息，精进不止

一步一个脚印，踏实而行

日日反省，认真处世

一心埋头工作可磨炼灵魂

人生的目的是什么？这是个艰深的哲学问题，对此，我有自己的一番思考。

我们人类降生到这个世界上，并非出于自身意志。懵懂之时，便已然存活于世。因而，我们不可能决定好这一生该如何度过后再开始人生的旅途。

诞生之后，我们逐渐成长，明白事理，终于开始思考人生。然而此刻的“思考人生”，不外乎希望成为医生还是社长，或者当个工程师、老师、公务员抑或政治家。

步入社会之后，多数人都以出人头地为其人生目的。为了在竞争中拔得头筹，有时不免与竞争对手明枪暗箭、互相排挤，而这一切只不过为争夺金钱、名声、名誉和权力，而大家都会以为获胜者即等于有了出色的人生。

果然如此吗？即便家财万贯，声名显赫，统率众人显耀于世，死亡降临，人生画上句点之时，肉体等有形之物统统不能带走。

然而，并非一切都归于虚无。我相信，只有人内心最深处的“灵魂”才会作为其人一生的结果存留下来，甚至可以带往来世。

既然如此，带着怎样的灵魂离开人世，这才决定了人一生的价值。换言之，所谓人生目的，并非荣华富贵抑或出人头地等所谓的成功，而是塑造至美之灵魂。依我看来，我们被赋予生命，正是为了在人生——这一特定的时间与空间中——磨砺灵魂。

1997 年，我曾在京都南部的临济宗妙心寺派道场——圆福寺出家，投身于佛门。

佛教教义中，磨砺灵魂、提高心性，最终所达的至高境界称作“悟”，而实现“悟”的修行为“六波罗蜜”。

“六波罗蜜”，即指六种修行方式，而其中之一便是“精进”。

所谓精进，指认真努力地做事，即现代社会的“工作”——这里所指的“工作”，不单指获得报酬的方式手段，而是专注于工作，一心不乱，由此锻炼心性，磨砺灵魂，塑造人格。从意义上讲，“工作”就是“修行”。

生命不息，精进不止。西乡便是如此，一生始终努力不辍，从不懈怠。

【遗训第三十三则】

平日不循道，临事狼狈，处理无措也。譬若近邻失火，平生有备者泰然，利落应对。平日无备者，唯狼狈，何谈处置尔。同理，平生未循道者，临事无策也。予早年出阵之日，向兵士言道：“我整备否，不唯己方之目以见，仿敌之心试探，方乃第一备也。”

【释义】

平日不行道义之人，遇事只会惊慌狼狈，六神无主。这就好比近邻失火，平日有所准备之人，镇定自若，应付处理干净利落。然而，平日无此用心，便只知仓皇失措，更谈不上应付处理了。同一道理，平日不行道义，遇事则束手无策。早年我征战之时，曾对士兵们说道："我方的防备是否万全妥当，不应仅从自身视角来衡量，而试着以敌人之心来刺探，这才是最高防备。"

如果一贯见风使舵，不循道理行事，四处敷衍，那么一旦面临紧急状况，即便试图正确判断、正确应对，也力不从心——西乡将此事比作突遇失火。而每时每刻都全力以赴，以作万全之备，这种生活态度即为"精进"。

哲学家中村天风（1876—1968）曾阐述了积极思考的重要性。天风大师出生于西乡殁于西南战争的前一年，不愧为伟大哲人，终其一生都在探究人该如何生活，追寻这一问题的答案。我年轻时起一有机会便会翻阅他的书籍。天风大师在其著作《研心抄》中针对心态，阐述了"有意注意的生活论"。

有意注意，顾名思义，"有意识地予以注意"，即自发、能动地将意识集中于某一对象。与此相对，还有“无意注意”，例如，听到某处有响声，于是条件反射般地转头去看。这是被动、不自觉地运用意识。

而西乡的训诫正与“有意注意”不谋而合——为迅速且正确地做出判断，不论置身何种状况，不论事务何其琐碎繁杂，都不应敷衍了事，而是认真、专注地予以处理，以此锻炼知觉的敏锐度。平日全神贯注、磨砺以须，习惯于沉着思考，那么即便突遇重大问题，也定然成竹在胸，应对自若。

这一道理对于需要下判断、做决策的人而言，至关重要。

例如，经营者案头常堆积大量议案需要依次即刻做出决断。这要求他们发挥惊人的集中力，同时必须长时间专心致志，否则，无法持续进行正确的经营决断，以保持企业经营的稳定。

我年轻时也有过这样的体会。由于过于繁忙，一旦精神松懈之时，对于某些事务不以为意，“就这么点事吧”，简单应付；或者等闲视之，不亲自做判断，任由部下处置，这实在是最危险之举。因为这些草率判断往往会引发很大的事故。

例如，有一次，公司一位干部因为有事要我做出判断，就同秘书协商与我谈话的日程安排，然而，我手头事务堆积如山，四处奔波，未能腾出时间处理此事。某日，他碰巧与我在走廊中擦肩而过时，他露出坚决的表情，拦住我商议此事。

我为他的热情所动，听他讲述并给予指示。其实，这种情形下极易判断失误。因为即使主观上想要集中注意力，因为站着交谈，很难全神贯注。

类似事情时有发生。于是我发誓，再繁忙都应抽出时间，即便短至 10 分钟、20 分钟，也必须安排合适场所认真商议，集中全力思考后得出结论。

实际上，直至京瓷公司规模壮大到某一程度前，企业里外一切事务我都必定亲自过目，判断其成否，决不会半途丢给部下，撒手不管。而这期间，面对数量庞大的议案一一决断，也几乎从未判断失误。

这大约因为年轻时起便习惯于集中注意力，从而稍许磨炼了自己的判断力。然而，最根本的原因在于，我把集中全力思考作为领导者的责任。

当然，世间也有人认为，优秀的领导者只须“酌情处理”，具体事务全盘委托部下即可。然而，并非托付部下便万事大吉。其实，这样的领导者多数只不过摆出领导架势，放任部下行事，以便逃避认真思索、判断的责任吧。

更有人得意扬扬：“上司的职责应在考虑更大的事务上。”然而，如果平日未从微小事务起培养认真思考的习惯，便会如西乡所言，一旦突遇重大事件，也难急中生智、妥善处理。

当然，如果成了大企业后，仍然事无巨细都拿到领导面前，那么经营者也忙不过来。什么事该与领导者商议，什么事应自己判断处理，能否做出正确的区分，也是干部能力的体现。每当部下就具体事务前来寻求商议，我都会适时地进行指导，以培养干部。

经营依赖踏实努力的积累

企业经营并不只是处理重大事件或像收购别的企业那样风光刺激，企业经营更多的是反复进行枯燥单纯的判断。然而，若无这样踏实努力的积累，则难以成就大事。

【遗训第三十二则】

志于道者，不贵伟业也。司马温公曰，闺中语无不可语人者。由此推知慎独之学。出人意表逞一时之快，实未熟也，当戒。

【释义】

希望依循正确道义的人，勿尊崇大事业为好。司马温公（即司马光，中国北宋的学者）说道，卧室之中对妻子所言亦无不可向外人道之语。由此可明白慎独一词的真意。做出人意料之事，令人大吃一惊，从而沉浸于一时的快意之中，这表明修行尚且不足，应当充分反省。

人生旅途上，不可能犹如乘坐喷气飞机般忽而飞到目的地。面对梦想与现实之间的漫漫长路焦躁也无济于事。而靠耍手腕施诡计，抑或临阵磨枪，即便成功也足不着地，这种荣华不会长久。所以，人生重要的是依循正道，一步一个脚印，踏实前行。

树立事业或人生的远大目标，而实现这种目标犹如修筑高耸的石墙，不可急躁，需要一石块一石块地垒砌。同时，仅仅一个人的力量有限，为实现大志，必须集结众人之力。此时，至关重要的便是西乡所言之“正确的道义”。

志向高远、埋头苦干的人，其周围自然会聚集志同道合者。同伴逐渐增多，垒砌的石块大大增加。如此一来，不久便可以实现当初无法想象的伟大成功。

公司的发展也是同样道理。如前所述，首先确立符合大义名分的理念，并让这种理念与全体员工共有，大家共同实践，把全体员工的力量整合起来，成为巨大的合力，从而实现公司的飞跃发展。

败而不馁真英雄

【遗训第二十七则】

改过时，知己之误，即善也。其事可弃而不顾，即踏一步。思悔过，患得失，欲补缮，同碎茶碗集其片者，于事无补也。

【释义】

改过之时，只要明白自己之误就好，即可将此事抛诸脑后，立即向前踏进一步。如果总是为已发生的过失而悔恨，为遮掩或补救而费心劳神，这便如同打破茶碗后收集碎片，完全于事无补。

我们多为“小人”，总不愿承认自己的过错，尤其在部下面前。

“这是问题吧？”

有人这么指出。但是，即便明知自己不对，仍矢口否认，或强词夺理，或花言巧语，试图遮掩躲避。

面对众人，勇于承认自己的过错，坚决改正，“是我错了，是我不好”，这样爽快反省，并注意今后不犯同样的错误，从而踏出新的一步。如果老是为自己曾经的失误悔恨、烦恼，则有百害而无一益。西乡劝诫道，只要勇往直前即可。

最不可取的是垂头丧气，闷闷不乐。这可能损害健康，甚至萌发轻生之念。

人生或事业中，烦心、痛心之事纷至沓来。这种时刻，如果总是忧心忡忡，不仅不能解决问题，反会进一步影响工作，甚至损害健康。

必须斩断这种恶性循环，办法是不再为往日的过失而自寻烦恼。西乡在遗训第二十七则中提及，即使犯了重大过错，一时令人寝食难安，即便失态至此，也不要痛苦个没完没了。

我常与人说，为使人生更加美好，应谨记如下“六项精进”。

1. 天天付出不亚于任何人的努力。

2. 要谦虚，不要骄傲。

3. 日日反省。

4. 活着，就要感谢。

5. 积善行，思利他。

6. 不要有感性的烦恼，不要总是担忧。

“六项精进”中第六则“不要有感性的烦恼，不要总是担忧”，正与西乡所言一致。

情绪低落，担心烦恼，都于事无补。人生或事业中遇到的障碍与难题，仅靠感情、感性解决不了。越艰难越应运用理性。以理性深入思索，寻求合理且根本的解决方法，在解决问题上倾注精力，这点才最为重要。

如果已考虑周全并竭尽全力，已经“尽人事”了，那就行了。至于今后是否顺利进展不必想得太多。只须怀抱成功的信心“待天命”就够了。

不论结果如何，都不必后悔烦恼，跨出新的一步，保持积极乐观的心态，怀抱梦想与希望，以诚挚之心应对。这才是重要的，这就叫“不要有感性的烦恼”。

“知己之过，即善也。”这在克服困难时很重要。西乡经历过常人少有的严酷的人生，他这句话也是至理名言了。

日日反省，认真处世

我有个特别的习惯。

每日早晨，站在盥洗室的镜子前，注视自己，前一天的事情便如走马灯般一一掠过眼前。此时倘若回想起曾摆架子、说大话，就会猛然陷入自我嫌恶之中，顿时羞愧难当。

于是不由得大声道歉：

“上天，对不起！”

偶尔会说：“母亲，对不起！”

有时，也会说：

“上天，谢谢！”

因为是上天让我意识到自己的不是，所以要表示感谢。

这一习惯已持续了近30年。因此，不知从何时起，只要我在自家的盥洗室中，家人谁也不会进去打扰。

这算是我自创的每日反省法吧。从年轻时起，每日争分夺秒，根本无暇沮丧担心。所以，每日大声地表达自己的反省之情，并铭记于心以作训诫，从而迈步向前。这已习惯成自然了。

每日的反省，对于塑造人格甚为关键。

每日审视自己——“作为人，这样做是否正确？”“有没有骄傲自大？”——这样来逐渐磨砺、提升心性。

人生只有一次。这样宝贵的人生怎能留下缺憾，因此，必须每日认真努力、乐观向上，同时不忘自我反省。

反思自己的七十余年的人生，我更加深信，为磨炼灵魂，提升心性，而不断努力，日日“精进”，这才是人生的目的，也是最引以为荣的活法。

第十二章　希　望

地狱天堂之别在于人心

感谢今日，明日又能重新振作，此为“君子之心”

期望人生更加美好，就不能向命运低头

托钵行乞以自知

2005 年冬月（农历 11 月），我曾有缘于濑户内爱媛县的松山市和今治市两地的街头托钵说法。

当时，我身着黑色袈裟，足踏草鞋，头戴竹笠，肩挎印有寺名的游方僧行囊，自道后温泉出发。当地禅寺的住持等一行十余人集合于此，全体诵经后便启程了。

那天，夜半到拂晓冷雨不断，夹杂着冰粒，道路湿滑，寒冷彻骨。我们一齐发出长长的低鸣，小心翼翼地缓缓前行。

一位僧人挨家挨户托钵化缘称为“轩钵”，那一日，几位僧人排成一列，依次前行，是所谓的“连钵”。

僧人两手高举行囊来领受众信徒的布施或善款。据说昔日布施多为蔬菜谷物，而这些正成为僧人每日的食粮。

在现代社会，托钵化缘，以此获得食物的意味早已淡薄，如今其作为禅僧修行的方式而受重视。其一，僧人以行乞之姿接受他人的施舍，此行可体验自己的生存离不开他人的恩惠这一道理。

另一方面，此行也可让世间之人体会到“给予”的喜悦。施舍就是欢喜地“给予”，称为“喜舍”，正有此义。

我于65岁那年出家。当时，本意是为深入学习释迦牟尼的教义。而西片担雪老师——后来他成为临济宗妙心寺的管长高僧——劝道：“不如出家，意下如何？”这就是当初出家的契机。

其后不久，我贸然提议道：“在寺庙中坐禅修行自然非常重要，但既然世间众生正苦于其惑，何不走上街头，解说释迦牟尼之法，伸手救度。”得到允许后，我便开始托钵云游各地。迄今为止，足迹遍布除四国之外的全国各地，包括山阴与本州东北部在内。

托钵而行，走过家家户户的屋檐，站立于街角解说佛法，而众人的喜舍布施悉数赠予当地儿童福利机构。

我常在商业街的一隅放置橘子箱大小的台子，站在上面当街说法。往来行人中有人停下脚步侧耳聆听。有时会聚集二十多人，多者有百余人。

然而，大多路人都一脸惊异，目光扫过：

“有个怪模怪样的和尚！”

于是，快步走过。

大约近来托钵僧已不常见，布施之风也随之淡忘。实际上，像昔日那样见托钵僧便主动叫住，行布施的人也极为罕见了。

然而，我认为，即便如此也不失为好事。

那一日，在松山与今治，大约有数千人曾见到我们这群托钵僧。这大约可称为“一期一会”、“衣袖相碰亦宿世之缘”吧。现代人大多对宗教漠不关心，然而，今后的人生中倘遇挫折，或屡遭碰壁，以期望寻求某种救度那一刻，瞬间想起——

“那时，那条街，曾与僧人擦肩而过，他们当时正在解说佛法。”

仅仅如此，便已意义重大。这就是所谓的“牵系佛缘”吧。

老师的教诲——地狱天堂之别在于人心

自年轻时起，我一直受西片担雪老师指教。有一次，听到他讲了这样一则故事。

从前，有位年轻的云游修行僧向老师请教：

“地狱、天堂是否真实存在？”

他之所以如此询问，大约因为禅宗几乎不传授来世之事。

修行僧问道，自孩提时代便听说地狱是阎王与恶鬼的恐怖之地，人在现世犯下恶业，必将在地狱遭受报应。而天堂欢乐美好。这些果真存在吗？

老师立即答道：

“嗯，确实存在！”

修行僧继续问道：

“那里究竟是怎样的地方呢，地狱与天堂？”

老师听完，平静地开始讲述：

其实，地狱与极乐净土毫无二致，一眼望去并无分别。截然不同的是居住于此的人的心灵。

打个比方，地狱与极乐净土都有一锅美味的面条，大锅里热汤正咕嘟咕嘟地沸腾着。大锅边分别围着十几、二十个饿着肚子的人，每人一手端盛酱汁的碗，另一手持一双一米长的筷子。接下来，天堂与地狱之景便大相径庭了。

在地狱，大家争先恐后地挥动筷子，争夺食物。殊不知，这一米长的筷子虽能夹起面条，却无论如何也无法送入手中的酱碗中，当然也送不进嘴里。

徒劳无功之时，突然发现站于对面的人想夺下自己筷子上夹着的面条。于是一声怒吼：

“那是我的！不准碰！”

遂用筷子敲击、刺戳对方。对方当然奋力还击：

“混帐！你想干吗？”

如此，人群中争执四起，最终面条从锅中飞散四溅，谁也没能吃到口中，却开始大打出手，呈现出一片惨烈的场景——这就是地狱。

而天堂中又是怎样一番情景呢？天堂中，人人皆有利他的、为他人着想的好心，所以，当自己的一米长筷夹起面条后，便在大锅对面那人的碗中蘸了酱汁，送入对方口中：

“请您先吃！”

而对方也同样回报。如此，面条一根也不会浪费，大家都能吃够，其乐融融。

通过这则故事，老师告诉修行僧，地狱与天堂确实存在，但那是由人的内心所造。

实际上，无论物质多么富裕，如果获取利益的欲望无止境地膨胀，贪念无法满足，那么永远不会幸福。而如果生活不甚富裕，但心存善念，充满希望，这样的人们却能感受到幸福。如此看来，人生是由人的心态所决定的，可为地狱，也可为天堂。

而这，也正是这个社会的写照。

家庭、职场、企业、社会、国家，构成这些组织的人们的心态如何，决定了这些组织面貌的根本差异。

如果身处其中的人们充满利己心，凡事只考虑自己，这个组织就会呈现颓废、散漫之态；倘若人们充满利他心，与人为善，那么这个组织就会生机勃勃。

如此看来，应当追问的是：构成这个组织、团体的每一个人的心态。

英国哲学家詹姆士·艾伦将人的心灵比作庭院，作了如下阐述。

如果自己的庭院里没有播种美丽的花草，那么无数杂草的种子必将飞落，茂盛的杂草将占满你的庭院……如果我们想要一个美好的人生，我们就要翻耕自己心灵的庭园，将不纯的思想一扫而光，然后栽上清纯的、正确的思想，并将它培育下去。（《原因与结果法则》）

稍不留意，我们便会对自己的心灵花园放任不管，以致杂草丛生——那么，何为杂草呢？

这就是人类的“烦恼”。而烦恼的根源——“三毒”，前章中已提及，即贪求万物之“欲”、怨恨恼怒有违自己心意之“嗔”以及不明事理、不平不满之“痴”。

人若任由思想之杂草蔓延，无所作为，就会被烦恼湮没。但只要抑制这类烦恼，人性中本来就有的为他人着想的美好心意就会出现，不仅会让自己而且会使周围的世界好景常在。

西乡南洲的教诲是心灵的明灯

西乡晚年，斩断上述所有的烦恼，抵达宁静高远之境界。

从小一起长大的大久保利通为主的反对派，在最后关头否决了西乡的“遣韩使节论”。于是，西乡辞官下野，回到鹿儿岛。

那段时间内西乡有关各种问题的言论，后来经由庄内藩的弟子总结整理，编纂成册，即为本书中摘录的《南洲翁遗训》，是我的心灵食粮。

遗训集中，大多针砭时弊，尖锐诘问流于轻浮浅薄的明治新政府以及维新革命后的社会世态，但也有其他意趣盎然的内容，这就是第四十则遗训。

【遗训第四十则】

从翁驱犬逐兔，跋涉山谷，终日狩猎。暮，投宿田家。浴毕，心旷神怡，悠然曰："君子之心常如斯也。"

【释义】

跟随老翁驱犬追兔，跋涉于山谷之间，终日狩猎。傍晚，投宿于一农家。沐浴完毕神清气爽，心旷神怡。悠然自得曰："君子之心常如此惬意吧。"

大铁锅烧热水洗澡，饮烧酒，食一菜一汤，这些若以感激之心体味，则身心愉悦，疲劳亦消，怡然自得。感谢今日迎来如此幸福的时刻，把心镇静下来，而明日又能重新振作，继续努力——西乡将这种状态称为"君子之心"。

我们每日度过匆忙繁杂的日常生活，也能如西乡般，把心镇静下来。从早到晚勤奋工作，终于回到家，洗个澡，舒口气。这一瞬间，烦恼担忧全消，进入"无"之境地，此时心境宛如坐禅入定。如果就寝前能有片刻这样的幸福时光，那可称得上人生完美了。

当然，静心并非如此简单易行。人一旦闭上双眼，各种杂念妄想一起冒出，真是可笑又可叹。正因如此，我们就需要进行有意识的训练，来控制自己那颗奔放不羁的心。

西乡经历的辛酸苦难锤炼了他，造就了他的人格。他遵循自己的信念，堂堂正正表明了“遣韩使节论”的主张，当自己的主张不为他人所容时，即刻洁身而退，对于地位、名誉、俸禄全然无半点留恋。

1873 年，西乡回到鹿儿岛，在萨摩藩的山野里狩猎野猪，耕田而食，泰然自若，悠然度日，不问世事喧嚣。此时，西乡内心宛如平静的水面，毫无波纹，宁静澄澈。他抛却了一切杂念，认明了正道。

针对明治政府的批评，该说的西乡都说了。那也是出于一颗为国为民的真挚之心。

西乡利用从明治政府得到的赏典禄——即现代所谓退休金——创办了赏典学校，其办学目的与鹿儿岛县县费所设立的私立学校不同，是为培养军官，更为教育年轻人。另一目的，就是避免当时日本武力最强的旧萨摩藩士族误入歧途。

然而，西乡最终也未能制止萨摩藩年轻人的起事。在明治中央政府再三的挑衅行为下，学生们爆发了，他们袭击了政府的军工厂，夺取武器弹药。事态一发不可收拾。

听到这一消息的西乡大叫一声："不好了！出大事了！"

"汝等，弹药何用？"西乡不禁大怒。

然而，时代的浊流非西乡所能阻挡。与明治政府决一死战的"主战论"为大势所趋。事已至此，西乡为大"情"所动。

"吾已无话可说。既然你等意已决，吾亦捐躯相助。"

遂下定决心，投入战斗。

1877年2月，西南战争爆发。西乡军自鹿儿岛一路向东京进发。此战的目的并非讨伐明治新政府，最终是为责问"大义"。

然而，在倒幕战争中机敏过人的西乡，此战却未施行任何像样的计谋，仅跟随年轻人之后。其实，只须西乡一声号令，必定一呼百应，日本全国上下援军便齐集而来。然而西乡没有这样做。

西乡军队未能攻克政府军占领的熊本城，同时激烈交战后北方防卫线的田原坂被突破，此时，面临全面溃败。败况接连不断，最终被逼至鹿儿岛的城山。

政府军 50000 人，西乡军 3000 人。9 月 24 日的总攻中，西乡受枪伤，于是自刃。西乡最后一句遗言是对为其“介错”（为剖腹自杀者断头）的别府晋介说道：

“晋介，晋介，这里即可。”

于是，在城山朝东，即樱岛的方向，西乡两手伏地，引颈受斩。

我想那一刻，西乡心中没有半点悔恨或愤恨。身处枪林弹雨、炮声隆隆的战争中心，西乡的内心仍然沉稳、静寂。西乡隆盛一生坚持正义与信念，秉持一颗真挚之心，自始至终至公无私，生命的最后一刻也光辉灿烂。

就此，持续七个月之久的日本最后一次内战终结。这一战中，牺牲者西乡军为 6765 人，政府军为 6403 人，可谓悲壮惨烈之战。

明知历史没有“假如”，但我仍痛心疾首。西南一战牺牲如此众多志向崇高、灵魂纯洁的仁人志士，难道就没有其他可选之道吗？

我不禁设想，倘若西乡这样的伟大人物，能九死一生，闯过明治时代——这一近代日本的黎明黑暗期，那么现代日本也好，日本人也好，应该会跟现在有所不同吧。

现代亦适用的“遗训”

回顾西乡波澜壮阔的一生，进而反思我们自身，不禁感叹，人生真是费解难懂，有人好命，有人厄运；有人幸福，有人痛苦。而这神秘难解的人生，我认为只有两个部分组成。

其一是此人所持的“命运”。另一是“因果报应法则”。

带着何种命运降临人世，我们浑然不知，任由命运牵引，开始了人生旅程。飞来横祸，抑或喜从天降，我们经历着各种各样的人生体验。在命运指引下，我们从出生到死亡跋涉而过的道路，可以称之为人生的“经纱”。

而人生的“纬纱”则为“因果报应法则”。所谓命运，并非宿命。在波澜万丈的人生的各个关口，由于人的想法和做法不同，他的命运会发生重大的变化。善因生善果，恶因有恶报。在命运的经纱之中，因果报应的纬纱穿梭交织，织成人生这匹布。

如果真是这样，那么期望人生更加美好，就不能向命运低头，而必须坚持思善行善。社会也同样如此。

企业丑闻与犯罪行为，甚至令人不忍视听的惨无人道之事接连发生。这些追根究底，原因在于人心之“恶”，必须尽早遏制这股恶流。

如果说现代社会的乱相可以匡正，那么我认为，除了认真矫正人心之外，别无他法。

世态也是折射人心之镜。企业、经济的健全发展，社会、国家的美好未来，世界各国人民的安居乐业，所有一切，都从我们每个人如何磨砺自己的心志开始。

这时，成为我们心灵明镜的，正是《南洲翁遗训》。

本书以西乡的“遗训”为基础，总结了我作为经营者的经验，总结了我七十五年人生历程中的心得体会。我一直在思考的问题是：对于生活在现代社会的我们而言，现在最重要的东西究竟是什么。

读者诸君迈入“人生的王道”之际，倘若拙作能够作为路标为诸君做出微薄的贡献，那就是笔者的望外之喜了。

衷心祝愿日本的未来光明美好，充满希望；祝愿生活在这个时代的每一个人都有幸福的人生；祝愿世界和平，人类平等，生活富裕。就此搁笔。

诚挚感谢。合掌。

附录
西乡隆盛略年谱

1827（文政十）年

◈ 12月7日，作为长子出生于鹿儿岛城下下加治屋町，乳名小吉，父亲九郎（后改名吉兵卫），母亲满佐。

1833（天保四）年·6岁

◈师从松本觉兵卫学习儒学。

1839（天保十）年·12岁

◈造士馆归家途中与友人发生争执，右肘负伤。于是立志弃武，专攻学问。

1844（弘化元）年·17岁

◈任藩郡方书役助，追随郡奉行迫田太次右卫门。这段时期改名吉之助。

1847（弘化四）年·20岁

◈这一时期开始成为加治屋町本地青年组织的领导者。

1850（嘉永三）年·23岁

◈这一时期，师从伊藤茂右卫门学习阳明学，向无参禅师学习禅学。

1853（嘉永六）年·25岁

◈与伊集院兼宽之姐结婚。9月，父亲吉兵卫去世。以长子身份继承家业。11月，母亲满佐去世。

1854（安政元）年·26岁

◈1月，被任命为中御小姓。21日，随藩主岛津齐彬前往江户参勤。3月6日，抵达江户。4月，被任命为庭方役。遇水户的藤田东湖，深受触动。西乡在外期间，其妻回娘家，遂离婚。直至翌年称善兵卫，后改名吉兵卫。

1857（安政四）年·30岁

◈三年后回藩。恢复小姓一职。10月，任徒目付、鸟预、庭方兼役，再度命江户参勤。开始将军继嗣问题的周旋。

1858（安政五）年·31岁

◈ 7月16日，齐彬暴病而殁。9月，安政大狱开始，与保皇派僧人月照同回鹿儿岛。11月5日，与月照乘去往日向的船。翌日，与月照共投锦江湾。西乡为同船的平野国臣所救，生还，月照绝命。被罢免徒目付、鸟预、庭方兼役职位。12月，被命改名菊池源吾，潜居奄美大岛龙乡。

1859（安政六）年·32岁

◈ 1月12日，开始奄美大岛龙村的潜居生活。11月8日，在奄美大岛与爱加那结婚。

1860（安政七）年·33岁

◈ 3月3日，樱田门外之变爆发。

1862（文久二）年·34岁

◈ 2月12日，回鹿儿岛。同月15日，恢复徒目付、鸟预、庭方兼役职位。改名大岛三右卫门。3月13日，由岛津久光任命为下关待机，同村田新八自鹿儿岛出发，进京安抚激进派。6月，因谗言触怒久光，流放德之岛。改称大岛吉之助。闰8月，收容于冲永良部岛和泊之“围”。

1863（文久三）年·36岁

◈在“围”中为岛上孩童开设私塾。与该岛地方官土持政照结拜为兄弟。

1864（文久四）年·37岁

◈2月28日，与村田同回鹿儿岛。3月任军赋役。7月19日，长州兵进攻京都引发禁门之变，作为藩兵参谋镇压并击退。根据藩命，恢复西乡之姓。晋升为御侧役、代代小番。10月，由征长军总督德川庆胜任命为长州处方。12月，在下关就三条实美等五卿的处境，提出征长军的解兵提案。

1865年（庆应元）年·38岁

◈1月，与岩山八郎太的次女系子结婚。4月，与坂本龙马同回故乡。成为大番头、一身家老。5月，与大久保商议，拒绝出兵再征长州，定为藩论。12月，派遣黑田清隆、坂本龙马前往长州商议藩长联合。

1866（庆应二）年·39岁

◈1月21日，在京都的小松带刀宅邸与坂本龙马会面，与木户孝允缔结藩长同盟。9月，任命为大目付、陆军挂。翌月，推辞大目付一职。

1867（庆应三）年·40岁

◆2月，向“国父”久光提议召开萨摩、越前、土佐及宇和岛四藩会议。5月，与土佐藩的中冈慎太郎、板垣退助等商议王政复古。6月，告知长州藩的山县有朋倒幕的决议，盟誓萨长联合。9月，听闻土佐藩大政奉还建白书的提议，宣布萨摩藩正式举兵讨幕。10月，在萨摩藩宅邸缔结萨摩、长州、土佐三藩的举兵盟约，决意断然实行王政复古。14日，倒幕的秘密敕令下达，同小松、大久保等联名请书，并以此举闻名天下。12月9日，指挥诸藩士兵实行王政复古兵变。

1868（明治元）年·41岁

◆1月3日，指挥萨摩士兵鸟羽、伏见之战。2月14日，任东征大总督有栖川宫炽仁亲王的参谋。3月13日，在江户高轮的萨摩藩宅邸会见胜海舟，实现江户无血开城。4月11日，江户城开城。5月，与彰义队在上野、黑门口发动上野之战，指挥若定，攻破。9月，抵达山形庄内藩。指示黑田清隆宽大处理庄内藩。11月，回鹿儿岛。

1869（明治二）年·42岁

◆1月，辞任藩内职务，同时婉拒在政府任职。2

月，应藩主忠义的请求就任藩内参议、一代寄合。6月17日，推行版籍奉还。9月，被封为正三位。

1870（明治三）年·43岁

1月，辞去参政任参事。5月，得到允许，辞正三位之位。7月，由参事转为执务。12月，敕使岩仓具视、副使大久保利通来鹿儿岛拜访西乡，促其出任。对此，西乡提出设置亲兵。

1871（明治四）年·44岁

4月，率常备兵4大队与藩主忠义进京。6月25日，就任参议，被封为正三位。任制度取调会议长，审议官制。7月14日，作为笔头参议断然实行废藩置县政策。11月，任命岩仓具视为特命全权大使，派遣欧美，随之承认不在任的大藏省事务监督。废除原体制，改在全国设县，最终定为三府七十二县。

1873（明治六）年·46岁

5月10日，成为陆军大将兼参议。6月，朝鲜问题提内阁会议商议。反对出兵，主张派遣使节。提议自己作为使节。8月17日，内阁会议通过西乡的派遣朝鲜使节提议。10月23日，岩仓太政大臣代行上奏，中止使节派遣。西乡提出辞呈，辞去陆军大将、参议与近卫都督等职。正三位与陆军大将的辞请未被受理。11 月，回到鹿儿岛。

1874（明治七）年·47 岁

6 月，在鹿儿岛郊外设立开垦社。

1877（明治十）年·50 岁

1 月，私立学校的学生袭击政府的兵工厂。2 月，因怀疑政府阴谋暗杀西乡，与私立学校的学生一起以陆军大将的身份质问政府，举兵进攻熊本城。3 月，在田原坂与政府军交战。其后，撤退至人吉、宫崎一带。7 月，政府军占领都城。8 月，转战宫崎美美津、延冈和田岭，在长井村被政府军包围，烧毁陆军大将制服。17 日，翻越可爱岳突破政府军包围，经三田井，9 月 1 日进入鹿儿岛。24 日，受到政府军的总攻击，在城山岩崎谷中流弹负伤。自刃。别府晋介为其介错。

1889（明治二十二）年

明治宪法颁布。通过大赦消除其贼名。曾就读于私立学校的原庄内藩中老菅实秀整理西乡言行，编纂成《南洲翁遗训》，以将西乡的思想传于后世。

稻盛和夫的实学（小开本精装）

稻盛和夫的实学
经典珍藏版（全5册）

稻盛和夫的实学
经营与会计（小开本）

稻盛和夫的实学
创造高收益（小开本）

稻盛和夫的实学
活用人才（小开本）

稻盛和夫的实学
经营三十四问（小开本）

稻盛和夫的实学
阿米巴模式（小开本）